D0371493

Pierre Mac Orlan

de l'Académie Goncourt

Le quai des brumes

Préface de Francis Lacassin

Gallimard

QUELQUES LUEURS
SUR LE QUAI DES BRUMES

Dès l'automne 1940, quand le monde éberlué s'attristait de la chute de la France au fond du gouffre, la propagande du gouvernement de Vichy en attribuait la cause à une conjonction de ferments dissolvants et de poisons anesthésiants parmi lesquels figurait... Quai des brumes.

Quelques mois plus tôt, au cours d'un des derniers conseils des ministres de la IIIe République, le président Albert Lebrun avait demandé avec déférence au vainqueur de Verdun si sa grande expérience pouvait fournir une explication à l'avance foudroyante des hordes allemandes. Et le maréchal Pétain de répondre : « C'est dû à la désorganisation de notre système de communications. On a trop fait confiance aux moyens modernes. Il aurait mieux valu recourir, comme en 1914, à des pigeons voyageurs. »

Comment s'étonner que les services du maréchal aillent attribuer au roman de Mac Orlan et à sa transposition filmée une puissance démobilisatrice (légèrement surévaluée) face au déluge (de feu cette fois) déversé par un nouveau maître du monde qui avait troqué la barbe blanche rassurante de Iahvé contre la moustache de Charlot.

Informé ou non des lourds griefs retenus contre lui, Mac Orlan avait pris du champ et s'était retiré à Gargilesse, petit village de l'Indre. Circonstance aggravante (heureusement ignorée des censeurs vichyssois), il avait financé son déplacement — pour ne pas dire : fuite —, en sacrifiant au libraire Pierre Bérès un trésor de guerre (celle de 1914). Un des rares exemplaires sur papier Japon de l'édition originale des Onze mille verges. *Et d'autant plus considérable que l'auteur anonyme le lui avait dédicacé en signant de son nom : Guillaume Apollinaire...*

C'est à peu près à cette époque, où le masochisme de la défaite encombrait les ondes et la presse de Vichy, qu'un propriétaire de l'édition originale du Quai des brumes *se débarrassa avec prudence de son exemplaire dédicacé. Il réapparut plus tard sur un catalogue de bouquiniste ainsi décrit : « A monsieur (nom du destinataire effacé) ce roman qui traduit bien des refoulements. »*

De ce livre — le plus connu de Mac Orlan après L'ancre de miséricorde —, *les moralistes de 1940-1944 et les autres ont retenu ce qui, aujourd'hui comme hier, interpelle le plus le lecteur : l'authenticité désespérée des personnages. Nous les qualifierions aujourd'hui de « héros positifs ». A l'époque, la première partie de ce terme aurait, non pas choqué, mais paru inappropriée. Voire incompréhensible. Comparés à la turpitude sublime que Mauriac prêtait à ses personnages, ceux du* Quai des brumes *au regard des*

II

canons de l'époque ne pouvaient espérer la moindre considération — fût-ce sur le plan littéraire —, étant donné la médiocrité de leur origine sociale et la dimension subalterne de leur destinée.

Dans ce carrefour des solitudes que figure par une nuit neigeuse le cabaret du Lapin Agile, cinq destinées se croisent sans pouvoir se rencontrer. Un peintre allemand qui ne supporte plus le révélateur de la mort que constitue son inspiration : « Je verrais un crime dans une rose. » Une fille de dancing qui change de profession et de personnalité chaque soir, selon la qualité de l'assistance. Un soldat qui vit ses dernières heures de « légalité » avant de déserter. Un boucher équivoque, poursuivi par des bandits ; à coups de feu, ils mettent le cabaret en état de siège jusqu'au petit matin, offrant ainsi aux assiégés tous les avantages d'un futur huis-clos sartrien. Enfin, mi-observateur, mi-meneur de jeu, Jean Rabe ; l'habituel personnage macorlanien, cultivé et malchanceux, joue comme d'habitude son rôle éphémère d'appariteur. Il s'efface, comme ici, une fois mises en place ces cinq trajectoires promises au malheur. Sauf une, celle de Nelly. Pour Mac Orlan, Le quai des brumes constituait le tremplin modeste mais efficace de l'ascension sociale et internationale de la Femme, représentée ici par une modeste mais moderne « dancing-girl », Nelly.

Lors de la parution du livre, au printemps 1927, l'auteur avait esquissé un « prière d'insérer » dont il subsiste le brouillon autographe.

« Ce roman est, en quelque sorte, le premier d'une série de

trois volumes qui comprend déjà : La cavalière Elsa *et* La
Vénus internationale.

« *C'est une tentative, sous diverses formes, qui tâche de
refléter l'inquiétude européenne depuis 1910 jusqu'à nos
jours.*

« *Dans* Le quai des brumes, *l'auteur place ses personnages à travers une nuit qui est celle d'un carrefour où
quelques types représentatifs de la misère sociale, avant la
guerre, évoluent dans le mystère de l'aventure intérieure.
Une femme survit au désastre de quatre petites existences :
celle de Jean Rabe, celle du soldat, celle du peintre et celle
du boucher.*

« *C'est avec l'image de Nelly, aujourd'hui femme de
dancing, que l'auteur a reconstitué* La Vénus internationale *et* La cavalière Elsa. »

Il n'est pas certain que les lecteurs de 1927 aient mesuré
toute l'ampleur du dessein de l'auteur. A commencer par son
message souterrain : le prophétisme d'un nouveau fantastique social, élargi à l'échelle internationale, marqué par
l'avènement de l'ère de la Femme.

En 1921, les lecteurs de La Cavalière Elsa s'émerveil-
lèrent devant le romantisme social de cette femme-soldat
porteuse d'un idéal révolutionnaire appelé à transformer le
monde et – qui sait ? – à changer la vie... En 1923, le passage beaucoup plus inquiétant de la Vénus internationale
précédée par une ruée de loups à travers la campagne française propage au contraire les forces fatales menaçantes et
secrètes d'une angoisse collective. Angoisse diabolique dont
le seul exorcisme possible ne peut être qu'un conflit mondial.

Les qualités du Quai des brumes, *plus immédiates et moins inquiétantes, ont été mieux perçues par le public et — comme le démontre un déluge de coupures de presse — par la critique. En choisissant des décors et des personnages subalternes au contraire d'un Marcel Proust. En renonçant à la fonction sécurisante et roborative du roman qui survécut longtemps à Maurice Barrès. En répudiant le scepticisme aimable d'un Anatole France autant que les mondanités blasées d'un Paul Bourget (le Proust des pauvres). Tout cela sans retomber dans les caniveaux obstrués du vieux naturalisme ; Mac Orlan privilégiait l'insignifiance du décor, des êtres pour mieux en faire jaillir les ressources et les menaces cachées. Il tenait ainsi les promesses qu'avaient pressenties les jeunes gens qui, à l'appel de la* Cavalière Elsa, *fréquentaient son lugubre appartement de la rue du Ranelagh : et dont Guillaume Apollinaire, impressionné par le voisinage des gazomètres d'Auteuil, célébra pourtant le charme dans ses* Anecdotiques *du Mercure de France.*

Cet appartement, plutôt sinistre, selon les témoins les plus favorables, était précédé d'un long et tortueux couloir : un boyau, grâce auquel Mac Orlan se vantait d'interdire, avec un revolver dans chaque main, l'accès de son domicile à quiconque. Il ne prenait pas cette précaution à l'encontre des jeunes gens qui, dès 1921, se retrouvaient avec plaisir chez lui : entre autres, Marcel Arland, André Malraux, Pascal Pia, Joseph Delteil, et le petit dernier, venu d'Italie : Nino Frank.

En 1922, Arland ne manqua pas de demander à Mac

Orlan d'écrire l' « article de tête » destiné à l'éphémère revue Dés *dont il fut le fondateur-directeur. Mac Orlan fit un don semblable à la revue* Aventure *inspirée par un certain Raymond Queneau et à une revue patronnée par Delteil,* Images de Paris *; il écrivit aussi une préface pour l'éphémère et confidentielle maison d'édition : les Aldes, que créa Malraux. Ce dernier, très avare en comptes rendus de l'œuvre des autres, n'en rédigea que cinq ou six : l'un d'eux était consacré à* Malice *de Mac Orlan. Joseph Delteil lui fut éternellement reconnaissant d'avoir publié dans une collection de La Renaissance du livre son premier roman,* Sur le fleuve Amour. *Faisant allusion à l'héroïne, Delteil orna l'exemplaire de ses* Œuvres complètes *(en 1962) de cette superbe dédicace :*

> « A mon cher maître Pierre Mac Orlan qui le premier me découvrit et me mit en selle, ces Œuvres certes incomplètes en corps, mais complètes j'espère en esprit avec mon admiration toujours vivace pour l'auteur de *La cavalière Elsa*, mère de la cavalière Ludmilla et ma vieille affection.

Nino Frank vint en aide à Mac Orlan au moment le plus utile, en 1946, quand il était au creux de la vague. Grâce à son amitié avec le délicieux poète Paul Gilson, alors directeur littéraire de la toute-puissante Radiodiffusion française, Nino donna à Mac Orlan l'occasion d'écrire et de coproduire, de 1947 à 1959, cinq pièces radiophoniques et huit séries de variétés totalisant soixante et onze émissions[1]. C'est en glissant, un peu par hasard, une ou deux chansons dans ses premiers essais radiophoniques, que Mac Orlan allait entamer en 1947, à l'âge de soixante-cinq ans, une nouvelle carrière : parolier de chansons[2].

Après la guerre de 1939-1945, Pascal Pia se révéla le chroniqueur assidu des œuvres (inédites ou réimprimées) de Mac Orlan. Auparavant, dans l'entre-deux-guerres, Pia avait réalisé avec la bénédiction secrète de l'auteur la réédition de quelques-unes des œuvres érotiques engendrées par la misère de ses années montmartroises. L'une d'entre elles, « publiée à Saint-Domingue », souleva, comme on disait à l'époque, « une profonde émotion » dans les milieux littéraires et judiciaires. La couverture reproduisait – à l'exception, il est vrai, du titre et du « nom » de l'auteur – la couverture de la célèbre « Bibliothèque Rose[3] »...

Quarante ans plus tard, le ministre de la Culture s'employa à minimiser le fâcheux souvenir que cette production érotique avait laissé dans les vieux dossiers de police. Sans l'obstination d'André Malraux, Mac Orlan n'aurait pas obtenu en 1967 la cravate de commandeur de la Légion d'honneur qu'il espérait éperdument.

Ces jeunes gens, que le temps transforma en vieux amis, avaient été les premiers à percevoir le coup (d'éclat) que

1. Voir *Cahiers Pierre Mac Orlan*, n° 2, avril 1992.
2. Recueillies chez Gallimard : *Chansons pour accordéon* et *Mémoires en chanson*.
3. Voir l'ouvrage d'Eddy du Perron, préfacé par André Malraux : *Le Pays d'origine* où Mac Orlan était rebaptisé Grant Oran.

Mac Orlan et sa cavalière portaient à une esthétique roma-
nesque que la guerre avait rendue à leurs yeux dérisoire.
C'était une fêlure que L.-F. Céline s'emploierait dix ans
plus tard à transformer en une fracture paroxystique.
L'auteur du Voyage au bout de la nuit *lui reconnaît*
d'ailleurs une part de mérite dans la mutation du roman
après 1919.

Il le fait, de façon inattendue en 1938 – et sans rapport
avec le contenu idéologique –, dans un de ses pamphlets
antisémites. Divaguant sur l'écriture et le style, Céline
écrit : « Et Mac Orlan ? Il avait déjà tout vu, tout compris,
tout inventé. »

Mais six ans après la chevauchée d'Elsa, deuxième volet
de la trilogie macorlanienne, deux vecteurs puissants
allaient propager vers la postérité la renommée du troisième
volet : Le quai des brumes. D'abord la magnifique transposition cinématographique du tandem Carné-Prévert, et la
renommée acquise par le modeste estaminet dans lequel
l'auteur, en toute innocence et sans être effleuré par la
moindre arrière-pensée publicitaire, avait fait débuter son
histoire : le Lapin Agile...

En 1929, Mac Orlan reçut une lettre d'un jeune inconnu
qui faisait son service militaire au 12e B.C.A. à Trèves. Il
lui disait l'émotion ressentie à la lecture du Quai des
brumes. Poussant l'admiration jusqu'à l'idolâtrie, il
avouait : « ... J'ai formé le très, très grand projet d'avoir
votre photographie dans ma bibliothèque, parmi tous ces
livres qui sont un peu de vous-même ! » Cet inconnu jeune et

enthousiaste, onze ans plus tard, fit du roman de Mac Orlan un classique du cinéma : c'était Marcel Carné.

Dans ses souvenirs, La vie à belles dents, *le metteur en scène a raconté avec humour les péripéties propres au monde de l'audiovisuel qui amenèrent à transposer l'action du roman de Montmartre au Havre. Les droits cinématographiques avaient été acquis par la U.F.A., un énorme producteur allemand, et le tournage devait avoir lieu dans ses studios de Berlin. Très vite on jugea trop coûteuse la reconstitution en décors du Montmartre d'avant 1914. Un producteur, peut-être abusé par le mot « quai », décréta que les extérieurs devraient être tournés dans un port allemand : il suggéra Hambourg. Ce choix n'aurait pas déplu à Mac Orlan : il a consacré des pages enthousiastes à Hambourg. Chargé de l'adaptation, Jacques Prévert la conçut donc en fonction de ce choix impératif. Mais après les vicissitudes et revirements également propres à l'audiovisuel, les droits de cette adaptation furent rachetés par un producteur français. Celui-ci, jugeant inutile d'engager des frais pour écrire une nouvelle adaptation permettant de rendre à l'histoire son décor d'origine, Montmartre, la fit tourner au Havre. Et Mac Orlan fut ravi du résultat, ainsi qu'il l'écrivit dans* Le Figaro.

« Quand j'ai lu le scénario-découpage du Quai des brumes, *j'ai écrit à Carné et à Prévert pour leur dire combien j'étais profondément touché par cette adaptation du roman. Le livre est un reflet de la bohème, parfois dangereuse et à peu près sans gaieté de l'époque 1903. Pour être*

gai il faut avoir le ventre plein. Il y a la bohème à ventre vide et la bohème à ventre plein. Il s'agit, dans le roman, de la première. Le cadre de cette époque reconstitué en studio n'aiderait point à la compréhension du drame. Carné et Prévert ont eu raison en situant l'action au Havre, ce qui éclaire le titre purement symbolique de l'œuvre. De ce « fait divers » est né un drame cinématographique simple et humain. [...]

Le Quai des brumes de Carné est un témoignage de la misère, cette misère sans éclat qui traîne dans les bas quartiers des villes comme un brouillard impénétrable. Gabin connaît la qualité de cette misère et les images violentes de son silence. Michèle Morgan, sans robes et sans parures, sans défense devant ceux qui la guettent, offre sa vie imaginaire, si pure, de jeune fille marquée par le malheur.

Ah ! Carné, Prévert, Gabin, Morgan, Simon, Le Vigan et les autres de l'Equipage du Quai des brumes, je ne peux vous dire que ma gratitude. Elle est profonde. Elle vient de cette année 1927 où, pour écrire, je me rappelais l'atmosphère de cette chronique de la faim. Il y avait là des fantômes. Ces fantômes réapparaissent aujourd'hui, dans un autre décor que celui d'un vieux cabaret de Montmartre. Mais ce sont bien les mêmes [1]. »

Cette transposition de l'action au Havre allait cependant déclencher chez Mac Orlan — trente ans plus tard — une des plus violentes colères de sa vie. Dans les années soixante, un personnage qui exerça les fonctions de directeur

1. « A propos du *Quai des brumes* », *Le Figaro*, 18 mai 1938.

des Arts et des Lettres au ministère de la Culture, accoucha d'une histoire de la littérature : on en manquait... Ne pouvant éviter d'y recenser Mac Orlan, il signala son chef-d'œuvre, *Le quai des brumes, tout en remarquant que ce roman cédait à la facilité des ports.* Depuis, quand il avait à évoquer ce haut fonctionnaire, Mac Orlan le faisait en déformant son nom et l'appelait « Gaëtan P'tit con ».

S'il avait eu l'honnêteté de lire le livre dont il parlait ainsi, cet historien hâtif se serait demandé comme bien des lecteurs pourquoi un aussi beau titre s'appliquait à un roman situé à Montmartre. Il y avait autrefois, au sommet de la butte, une grande bâtisse surnommée le Château des Brouillards [1]. Peut-être en raison des illusions qu'y nourrissaient ses misérables locataires : peintres en déroute, écrivains aveuglés par l'espoir. Quant au Lapin Agile, Carco écrit que vers 1910, les jours de nuit et de brouillard, ce cabaret se muait à force de libations « en une sorte de bateau ivre sur lequel nous voguions sans boussole ni compas ». Un de ces soirs-là, Max Jacob paya son écot en écrivant ces lignes sur le livre d'or du patron, Frédéric Gérard :

> A bord ! Piano ! A bord !
> Livre de bord
> Paris, la mer qui passe apporte
> Ce soir au coin de ta porte
> O Tavernier du Quai des Brumes
> Sa gerbe d'écumes...

1. Roland Dorgelès a donné ce titre à l'un de ses romans montmartrois.

Aujourd'hui, ce cabaret appartient au parcours obligé des monuments historiques (Arc de Triomphe, Moulin Rouge, tombeau de Napoléon Ier, sex-shops de la rue Saint-Denis, Notre-Dame de Paris, pyramide du Louvre, Madame Arthur ou chez Michou) sans l'accomplissement total duquel aucun touriste français ou étranger ne peut prétendre connaître Paris.

Le Lapin Agile (toujours en activité à l'angle de la rue des Saules et de la rue Saint-Vincent) doit sa réputation à la clientèle que sut attirer jadis son patron : Frédéric Gérard, alias le père Frédé. Selon l'humeur ou la saison, il se coiffait d'une toque en fourrure ou d'un foulard noué sur la nuque à la corsaire ; se chaussait de bottes ou de sabots en bois, tout en grattant une guitare légendaire elle aussi. A l'époque, la clientèle du Lapin Agile était remarquable par son impécuniosité chronique ; non par la célébrité que la postérité a fini par lui accorder. Mais en sachant distribuer au moment critique un verre de vin chaud ou de café bouillant, parfois accompagné d'une tartine de rillettes, le père Frédé sut s'attirer la clientèle et l'amitié de personnages tels que Picasso, Maurice Asselin, Modigliani, Vlaminck, André Salmon, Georges Delaw, André Warnod, Jules Depaquit, Julien Callé, Max Jacob, Gaston Couté, Mac Orlan, Roland Dorgelès, Guillaume Apollinaire, Francis Carco... En échange d'un tableau, d'un poème, d'une chanson, le père Frédé savait apaiser un ventre affamé dont le propriétaire contribuait ainsi à mettre l'ambiance et à réjouir la clientèle. Le flair et la générosité de Frédé n'auraient pas suffi à donner au Lapin Agile son prestige actuel. Il lui fallait aussi beaucoup de ténacité et le renfort d'un bon revolver.

Avant que ne commencent, en 1901, les premiers travaux de la basilique, le haut de la butte Montmartre était un maquis entrecoupé de terrains vagues peuplés d'herbes folles, de vignes, de vergers dont les pommiers – a écrit Mac Orlan – abritaient plus de bandits que de pommes. Dès la tombée de la nuit, ce haut lieu d'où retentissaient d'inquiétants coups de sifflet était le repaire de tous les mauvais sujets des deux sexes. A la belle saison, l'endroit fournissait aux affranchis un dortoir confortable et gratuit.

En cet endroit mal fréquenté, il y avait déjà un estaminet : on peut être peu recommandable et néanmoins avoir soif. Cet établissement, encore loin d'être rebaptisé le Lapin Agile, avait pour enseigne « Les Assassins » quand une dame Decerf, mieux connue comme « la mère Adèle » en fit l'acquisition en 1886. Peu apte à manier le revolver, mais experte en cuisine, la mère Adèle entama la réhabilitation du mauvais lieu en le rebaptisant « A ma campagne », et grâce à sa recette de lapin à la gibelotte, les parisiens épris d'atmosphère rurale venaient le déguster en famille le dimanche. Le dessinateur André Gill immortalisa la spécialité culinaire du lieu en peignant sur la façade un lapin s'échappant d'une casserole. Ce qui valut peu à peu à l'établissement d'être connu comme le « Lapin à Gill ».

L'homme qui allait en faire le Lapin Agile, le père Frédé, arpentait pour l'instant les rues escarpées de Montmartre, avec une voiturette garnie de produits des quatre saisons et tirée par l'âne Lolo. Le même Lolo dont la queue permit à Roland Dorgelès de peindre et même de faire exposer en 1911 un tableau intitulé Coucher de soleil sur l'Adriatique [1]. *Auparavant, s'élevant un peu plus vers la gloire, Frédéric Gérard avait acquis, rue Norvins, un cabaret nommé le Zut. Dans le tome I de ses* Souvenirs sans fin [2] *André Salmon soutient que l'assaut à coups de revolver évoqué dans* Le quai des brumes *n'eut pas lieu au Lapin Agile, mais au Zut, en 1904. L'année suivante, le père Frédé reprit le Lapin Agile à un successeur de la mère Adèle, et constata très vite qu'il n'avait pas gagné au change : un de ses trois fils, Totor, fut tué d'un coup de revolver quand debout, devant le tiroir-caisse, il comptait la recette.*

Cinq ans plus tard, la clientèle épurée des voyous du quartier était plus vénérable, même si ses principaux membres ne connaîtraient la célébrité qu'après la guerre. Dans une conférence prononcée le 18 décembre 1931 sous le titre A la table du père Frédé, *Francis Carco a raconté sa première entrée au Lapin Agile, vingt ans plus tôt, au cours de l'hiver 1910-1911.*

A une grande table, Frédé achevait de dîner avec une

---

1. Voir les souvenirs de Dorgelès, *Bouquet de bohème*, 1947 ; et les polémiques soulevées par ce canular dans la presse de l'époque.
2. A. Salmon, *Souvenirs sans fin*, Gallimard, 1955.

dizaine de convives, lesquels avaient le privilège de payer
leur écot par un poème ou une chanson. Carco s'assit avec
modestie, à l'écart, aux petites tables réservées à la clientèle
payante. A la grande table, vint le tour d'un jeune homme
déguisé en cow-boy de mériter son dîner. Il attaqua d'une
voix nette :

> Pan ra-ta-plan !
> Au revoir à tous les parents,
> Aux frangin's, aux môm's affranchis,
> A la gross' « Charlott » qui fait des chichis,
> A la Louise, à la grand'Clara,
> A la Rouquine, « et cætera »...
> Mais toi, la bell'goss', qu'est-ce que tu prendras,
> Quand on reviendra !

La chanson s'achevait par ce couplet :

> En passant par la grand-route,
>   Souviens-toi !
> Qu' tes anciens l'ont fait sans doute
>   Avant toi.
> De Gabès à Tataouine,
> De Gafsa à Medenine,
> De Med'nine à In-Kebilli.
>   C'est fini.

C'était la chanson des bataillonnaires d'Afrique, inter-prétée par Pierre Mac Orlan. Ainsi débuta, ce soir-là, entre le futur auteur du Quai des brumes *et le futur auteur de* Jésus-la-Caille, *une amitié longue de quarante-huit ans.*

A cette époque (hiver 1910-1911), Mac Orlan n'avait à son actif que quelques contes humoristiques parus dans Le Rire. *Pour lui, le temps n'était pas encore venu de célébrer le romantisme des soldats d'Afrique dans des reportages (*Un mois avec la Légion étrangère, *1930 ;* Le bataillon de la mauvaise chance, *1933). Ou dans des romans (*Le bataillonnaire, *1920 ;* La Bandera, *1931 ;* Le camp Domineau, *1937).*

Pour faire oublier sa profession pantouflarde de correc-teur d'imprimerie, Mac Orlan se forgeait une personnalité d' « aventurier actif [1] ». Pour son bien et celui de la littéra-ture, il allait la troquer cinq ans plus tard, grâce à l'écri-ture, contre celle d' « aventurier passif », plus prometteuse de sécurité et de prospérité. Mais à cette obscure époque, André Salmon témoigne que Mac Orlan, présenté à des inconnus venus pour la première fois au Lapin Agile, fai-sait suivre son nom d'un curriculum vitae laconique mais prononcé d'un ton sans réplique : « Caporal cassé, quatre ans de Légion. » Et ça prenait...

Comme servante autant que compagne, Frédéric Gérard

---

1. Voir la comparaison avec l' « aventurier passif » dans *Manuel du parfait aventurier*, à la suite de *La clique du café Brebis*, Galli-mard.

avait auprès de lui Berthe Serbource, veuve d'un certain Théophile Luc. Elle avait eu de ce dernier une fille, Marguerite Luc dite Margot. Picasso l'a immortalisée comme modèle de son tableau La femme à la corneille. Mac Orlan épousa Marguerite Luc en 1912 ; il vécut avec elle une union sereine jusqu'en 1963, à la mort de Margot. Auprès des journalistes et historiens hâtivement informés, Mac Orlan passe – et passera longtemps hélas ! – pour le gendre de Frédé.

Cette légende l'agaçait ; il la rectifiait en l'accompagnant parfois de propos peu favorables à son pseudo-beau-père. Sous l'influence de sa femme Marguerite, Mac Orlan reprochait à Frédé les incartades et le comportement dont eut à souffrir Berthe Luc, sa servante-maîtresse. En revanche, Frédé, à l'époque où il connaissait déjà une certaine renommée (au moins dans la colonie montmartroise) avait fait un geste envers l'écrivain famélique qui n'avait pas encore choisi le patronyme de Mac Orlan. Frédé avait composé la musique d'une chanson : Les Coffrets, écrite en 1911, sous son nom de Pierre Dumarchey.

Aussi, dans ses écrits, Mac Orlan a toujours peint Frédé sous des couleurs sympathiques. Y compris dans Le quai des brumes. Un roman dont le décor, le Lapin Agile, a joué un grand rôle dans la vie et l'œuvre du romancier. Ce livre n'est pas pour autant un roman autobiographique. Même si l'auteur a emprunté des détails à son existence et à celle de quelques habitués du Lapin Agile.

En avril 1968, lors d'un entretien [1] avec Pierre Acot-Mirande, Mac Orlan lui avait livré la clé de quelques personnages. Nelly exceptée : c'était une fille interchangeable comme on en rencontrait beaucoup entre les dancings de Pigalle et les ateliers de peintre. Peut-être aurait-il dû étoffer le personnage de Nelly par des emprunts faits à une ou plusieurs femmes qu'il n'a pas manqué de rencontrer à l'époque : mais au risque d'irriter Margot, sa propre épouse. En matière de fidélité conjugale, elle professait des convictions d'une orthodoxie rigoureuse.

« Zabel le boucher, c'est Soleilland qui avait assassiné une fillette : un crime qui avait frappé l'imagination publique. »

Frédéric, coiffé d'un foulard rouge noué à la corsaire derrière la nuque et chaussé de bottes c'est, bien entendu, Frédéric Gérard : le père Frédé... Mais détaché de son contexte familial : aucune allusion à ses fils, à sa maîtresse, à la fille de celle-ci, Marguerite. Mac Orlan montre Frédé soutenant bravement au Lapin Agile le siège auquel il avait résisté en réalité au Zut, rue Norvins. Il lui décerne un sobre satisfecit : « Il vivait avec les loups et connaissait leurs mœurs. »

Michel Krauss, le peintre allemand venu en France en croyant fuir le fatalisme morbide de son inspiration, c'est le

1. Texte recueilli, p. 122-131, dans les « Cahiers du C.E.R.C.L.E.F. », 1er semestre 1984, n° 1 ; avec les actes du colloque « Présence de Pierre Mac Orlan », organisé en décembre 1982, pour le centenaire de l'écrivain, par Bernard Baritaud.

jeune allemand Wiegels. Selon André Salmon, il s'est sui-
cidé en 1907. Exactement comme le personnage qu'il avait
inspiré à Mac Orlan : par pendaison après avoir mis son
phonographe en marche.

« Jean Rabe, c'est moi quand je traînassais dans Mont-
martre. Je n'ai pas connu la vie de bohème, la vie d'artiste,
j'ai connu la mouise. »

De toutes les clés disponibles, celle de Rabe est la moins
utile. Tant les coïncidences sont flagrantes entre les détails
de la vie de l'auteur et les indications sur Rabe disséminées
dans le récit. Si on lit bien celui-ci, deux ou trois ans avant
la déclaration de guerre, Nelly est âgée de dix-neuf ans.
L'histoire se poursuit depuis près d'un an ; elle a donc
débuté dans l'hiver 1910-1911. L'auteur le confirme dans
les dernières lignes du roman. « ... Grâce aux yeux de Nelly
[les yeux du souvenir], la rue grise où chantait l'aigre bise
de 1910 pénètre encore dans la salle [du Lapin Agile]... »

1910, c'est l'année où Mac Orlan réside à Montmartre.
En général à l'Hôtel du Poirier (tenu place du Tertre, par
la famille Bouscarat) et non à l'Hôtel du Pommier comme
Rabe. Tous deux, quand ils étaient trop démunis pour
habiter un établissement aussi respectable, ont logé dans un
hôtel douteux du passage de l'Elysée-Beaux-Arts. L'un et
l'autre ont accompli leur service militaire à Châlons-sur-
Marne, puis une période militaire à Toul. L'auteur et son
personnage ont des amis à Rouen. Le romancier y a vécu à
deux reprises : d'abord élève à l'Ecole normale d'institu-
teur, et plus tard correcteur d'imprimerie à La Dépêche de

Rouen. *Dans cette ville, Rabe a séjourné rue des Charrettes : la rue même où Mac Orlan exerçait le métier de correcteur d'imprimerie.*

Enfin, ultime et décisive concordance ; elle intervient avant le début de l'action : en 1910. « ... Depuis près de trois mois, Jean Rabe était revenu de Palerme où il avait vécu une année dans une sorte de confort accidentel. Le jour même que la chance avait choisi pour l'expédier aux trousses d'une vieille dame dans un hôtel ridicule d'où il pouvait apercevoir les trois coupoles de la Catena... »

La même aventure était arrivée — non pas trois mois, mais trois ans plus tôt — à Mac Orlan. Engagé comme secrétaire d'une dame de lettres, il l'escorta jusqu'à Palerme via Vintimille, Florence, Rome et Naples. Sa tâche consistait à corriger, voire à illustrer les œuvres littéraires de la dame. Mission impossible : sacrifiant les bienfaits d'un certain confort même accidentel, Mac Orlan préféra se libérer de ses fonctions à Palerme. Il laisse Jean Rabe tirer la morale de cet incident : « Il prolongeait tout simplement ses infidélités envers sa propre misère qui le suivait partout comme une compagne dévouée. »

En 1927, au moment où il achève la rédaction du Quai des brumes, *l'auteur donne ce que Bergier et Pauwels, les auteurs du* Matin des magiciens [1], *appelleraient un « coup de téléphone dans le futur ». Il fait loger Jean Rabe un certain temps sous les toits de la rue Constance. C'est la rue*

1. J. Bergier et L. Pauwels, *Le matin des magiciens*, Gallimard, Folio n° 129.

*même où, exactement trente ans plus tard, Pierre et Mar-
guerite Mac Orlan vinrent habiter, non pas sous les toits
mais dans un entresol du n° 14.*

*Du trousseau de clés confié en 1968 à Picot-Mirande, la
plus intéressante concerne le soldat, car elle éclaire aussi la
part obscure de la vie de Pierre Mac Orlan lui-même.*

*Marcel Lannois, « le soldat de la coloniale, c'est mon
frère Jean ». Sauf qu'au lieu de déserter comme dans le
roman Jean Dumarchey abandonnait ses galons de sous-
officier d'infanterie à Arras pour rallier la Légion étrangère.*

*Les lecteurs de Mac Orlan, et la plupart de ses relations,
ont appris seulement en 1930 qu'il avait eu un frère, par la
dédicace de* Légionnaires.

À LA MÉMOIRE
DE MON FRÈRE
QUI FUT SOLDAT AU I^{FR} ÉTRANGER.

*La destruction des archives de Péronne pendant la der-
nière guerre empêche d'établir si Jean Dumarchey (puisque
tel est aussi le patronyme officiel du frère de l'écrivain)
était bien le cadet et s'il était également natif de Péronne.
Quant à la date de son décès, elle était antérieure à 1923,
l'année où Nino Frank, le plus ancien ami de Mac Orlan
avait fait sa connaissance. Nino n'a jamais rencontré ce
frère et n'en a appris l'existence que beaucoup plus tard.*

Mac Orlan n'a jamais évoqué son frère dans ses écrits. A

l'exception de cette dédicace qui ne précise même pas son prénom. Il a d'ailleurs toujours manipulé l'à-peu-près, le mensonge, le mystère à propos de son enfance. Il se prétendait, sans raison, d'origine écossaise par sa mère Berthe Artus, épouse d'Edmond Dumarchey, lieutenant d'infanterie alors stationné dans cette ville. Il a laissé entendre et même écrit que, orphelin de père et de mère de bonne heure, il avait été élevé principalement à Orléans par la sœur de sa mère et son mari : Hippolyte Ferrand, inspecteur d'Académie. D'après diverses lettres et projets de testament retrouvés à Saint-Cyr, Edmond Dumarchey n'est mort qu'après 1926...

En 1909, Pierre Mac Orlan publiait sous le patronyme de Dumarchey (!) pour embêter son tuteur... un érotique intitulé Les Grandes flagellées de l'Histoire. Avec vingt illustrations hors-texte signées... Jean Mac Orlan. Depuis 1904, Mac Orlan était la signature adoptée par Pierre pour signer ses tableaux et dessins. On n'a cessé de s'interroger sur les raisons de cet éphémère changement de prénom. La découverte tardive que Mac Orlan avait eu un frère prénommé Jean a suggéré une explication nouvelle. Le véritable auteur des illustrations pourrait être Jean : Pierre lui ayant donné cette occasion de gagner un peu d'argent.

Hypothèse non sans fondement.

Quelques allusions échappées à Marguerite, dont le futur beau-frère avait fréquenté le Lapin Agile ; quelques souvenirs de Paulo, le fils de Frédéric Gérard... Autant de miettes d'informations qui retransmises oralement par le fidèle Nino Frank reconstituent une certaine image, même *un peu floue de Jean Dumarchey. Favorisé lui aussi de dons artistiques, Jean rêvait comme son frère Pierre d'une carrière de peintre-illustrateur. Sans doute n'avait-il pas assez de caractère pour persévérer dans une voie aussi difficile. Véritable « tête brûlée », assez porté sur la bouteille, Jean Dumarchey se résigna à la facilité. A l'issue de son service militaire, il s'engagea dans l'infanterie, devint sergent au 33ᵉ d'infanterie stationné à Arras, s'y ennuya et le quitta pour la Légion étrangère.*

Une lettre désenchantée et quelques pages conservées a Saint-Cyr-sur-Morin dénotent chez Jean Dumarchey une vision de la Légion étrangère moins flatteuse que celle offerte par les romans de son frère Pierre.

Quand et comment Jean Dumarchey est-il mort ? Ces questions seraient peut-être restées à jamais sans réponse, si je n'avais découvert dans les papiers de Mac Orlan le brouillon d'un article inachevé sur La Légion étrangère et la littérature [1]. *En voici quelques lignes inédites et révélatrices.*

« ... Je suis entré en contact utile et humain avec la Légion, quand mon frère qui était sergent au 33ᵉ de ligne à Arras rendit ses galons pour s'engager au 1ᵉʳ Étranger. Il mourut tout de suite après la guerre de 1914 d'une grave blessure reçue à la tête, d'où trépanation, devant le fortin de Givenchy. C'est par sa présence dans le régiment à épau-

---

1. Le texte intégral sera inséré dans le numéro des « Cahiers Pierre Mac Orlan » intitulé : *Images et mirages de l'aventure militaire.*

lettes à franges et à tournante et écusson vert que je connus la Légion. »

Ces pauvres révélations, arrachées au tas de misérables secrets qui — selon Malraux — constitue une vie, éclairent d'un jour pathétique ce frère sans visage, sans destinée, sans sépulture. Qu'il se soit dissous dans l'anonymat de la Légion étrangère à la sortie du Lapin Agile, dans le roman ; ou qu'il soit abattu par un voyou sur un quai du Havre dans la version filmée de Carné-Prévert.

Sa mort véridique et banale dans un lit d'hôpital militaire n'en est que plus émouvante. Mais au-delà de la mort, de transposition littéraire en transposition cinématographique, Jean Dumarchey a permis à Jean Gabin d'adresser à Michèle Morgan l'une des répliques les plus célèbres de la légende du cinéma :

« T'as de beaux yeux, tu sais... »

Francis Lacassin

I

Jean Rabe, jeune homme de vingt-cinq ans, sans profession, prit entre ses mains sales son chapeau de feutre et le secoua afin d'en faire tomber la neige qui l'alourdissait. C'était une belle neige d'une pureté boréale. Jean Rabe la regardait avec appétit comme quelque chose qui se mange. Toute la vie intellectuelle de Jean Rabe, depuis sa sortie du lycée, semblait consacrée au perfectionnement des désirs de choses qui se mangent. Il était devenu d'une habileté surprenante dans l'art d'imaginer des nourritures. En somme, son imagination obsédée par la faim ne faisait qu'amplifier la satisfaction de manger un bifteck. Il y avait exactement sept semaines qu'il n'avait pas mangé de viande saignante. Il se nourrissait quand il le pouvait de pommes de terre frites et de cervelas cuits dans la graisse bouillante. Il mangeait cela chez l'un ou chez l'autre, au hasard de l'hospitalité du jour ou de la nuit, le plus souvent durant le jour. Car il profitait de l'absence d'un ami pour dormir dans la chambre qu'il occupait sous les toits, rue Constance, à Montmartre. Quand il le pouvait, Jean Rabe louait une chambre pour un jour ou deux, achetait une bougie et un livre divertissant d'aventures. Après avoir mangé du pain et du pâté de foie, il se glissait avec un plaisir indescriptible dans les draps et y lisait *la Dame de Monsoreau,* jusqu'à une heure avancée de la nuit. Quand il avait usé les trois quarts de sa bougie, il l'éteignait et demeurait allongé sur le dos, le regard fixe.

Le confort, cependant misérable, d'une chambre de bas hôtel le pénétrait profondément. Rabe s'imbibait comme une éponge et se gonflait d'anéantissement créé par le lit, le toit, la porte fermée. Exquise torpeur surtout engendrée par la porte fermée, qui le mettait provisoirement en marge du monde et de l'existence qui le balayait, comme le vent une feuille sèche, de-ci, de-là, souvent avec des soubresauts comiques.

Chaque jour il buvait un calice d'amertume, comme il disait, jusqu'à la lie. C'était parfois si écœurant qu'il ne pouvait s'empêcher d'en sourire; mais son regard, quand il souriait, était celui d'un mauvais prêtre. Il aimait les femmes et les hommes parce qu'il les sentait encore plus vils que lui. Un soir qu'il dormait dans un bar des Halles devant un café de dix centimes, il s'était aperçu, dans le trouble du demi-sommeil de la misère, qu'il se trouvait à côté d'une petite fille de cinq ou six ans qui, elle, dormait avec innocence et dont la tête s'appuyait ingénument sur le bras de Rabe.

Rabe avait tout d'un coup éprouvé une commisération infinie pour cette enfant. Une grande lumière brillait en lui. La petite tête qui reposait contre son bras chauffait irrésistiblement toutes les lampes qui, dans sa tête, correspondaient aux fils encore mal connus de sa personnalité future, quand il serait sorti de cette misère animale. Il repoussa doucement la petite fille et s'en alla dans la rue où la pluie semait sur l'asphalte des clochettes qui sautaient comme des diablotins. La pluie calma savamment l'énergie que la tête et la bouche molle de l'enfant lui avaient communiquée. Mais il lui était impossible maintenant de rentrer dans le bar, car Rabe ne possédait plus les deux sous nécessaires afin de payer sa place, devant son verre de café.

Il erra à travers l'eau et finit par se présenter à un poste de police. Il fit voir son diplôme de bachelier et le secrétaire lui donna un bon pour aller coucher dans un hôtel voisin qui s'ouvrit devant lui telle une prison tenue par un bougnat.

Autant d'hôtels qu'il habitait, autant de bruits de clefs qui ouvraient une cellule. Insensiblement, mais irrésistiblement, il s'habituait à cette idée qu'un jour il irait en prison et que tout se passerait comme dans les hôtels où il s'était endormi d'un seul coup, de trois heures du matin jusqu'à midi. C'était toujours vers les trois heures du matin qu'il trouvait la pièce de vingt sous qui lui permettait de goûter ce repos infernal.

Quelquefois il s'endormait dans une crise d'optimisme aux réactions saugrenues, car il lui restait quatre sous en poche pour prendre un café crème et un croissant. Jean Rabe méditait alors des projets d'avenir.

Il avait cherché du travail. Rien dans sa mise et dans son attitude ne pouvait encourager ceux qui auraient pu devenir ses patrons. Mais tous ces hommes sentaient parfaitement que Rabe n'était pas de leur jeu et ils lui refusaient les cartes.

De temps en temps, cependant, Rabe travaillait. Il avait été correcteur d'imprimerie dans une ville de province et avait repris goût à la vie intellectuelle, au luxe relatif à quoi la fréquentation des jeunes putains conduit les garçons. Il acheta une bicyclette et la revendit afin de se procurer des sous et se donner une certaine allure aux yeux de Simone, caissière blonde, dans un café bourgeois, de l'estaminet où fréquentaient les filles du tiers état de la prostitution. Il acheta d'autres choses et les revendit. Il ne paya pas sa chambre à l'hôtel, négligea de régler les notes de restaurateurs qui lui faisaient crédit. Un matin il revint à Paris, vêtu d'un pardessus neuf, qu'il alla tout de suite vendre à un brocanteur de la rue Du-

10

rantin. Quand, de déchéance en déchéance, il eut endossé le costume de la misère, il reprit son chemin à travers les rues, à travers les hommes et les femmes dont il se promettait d'oublier les noms, dès que l'avenir le permettrait.

*

Depuis près de trois mois Jean Rabe était revenu de Palerme, où il avait vécu une année dans une sorte de confort accidentel. Le jour même que la chance avait choisi pour l'expédier aux trousses d'une vieille dame dans un hôtel ridicule d'où il pouvait apercevoir les trois coupoles roses de l'église de la Catena, Rabe avait parfaitement compris que cette histoire n'aurait pas de suites et qu'il reviendrait à Paris, riche d'un souvenir latin qui ne l'enthousiasmait guère, mais tout aussi dépourvu d'argent. Il revint comme il était parti, c'est-à-dire avec des habits neufs qu'il revendit. Il put vivre ainsi pendant trois semaines.

Il prolongeait tout simplement ses infidélités envers sa propre misère qui le suivait partout comme une compagne dévouée.

A Palerme, à Naples, à Rome, à Florence, il la savait derrière lui, gémissante et mal élevée. Il entendait sa voix pleurnicharde qui parlait l'argot. Il sentait qu'elle le tirait par le pan de son veston.

Quelquefois il secouait les épaules. Il percevait confusément que l'heure d'échapper aux soins maternels de la misère n'était pas encore venue. Quelle que fût l'ampleur de sa déchéance, une force existait qui était bien celle de Jean Rabe. Elle rayonnait parfois et quand il le voulait, ou quand l'alcool l'illuminait intérieurement il en laissait entrevoir une lueur séduisante, et cependant inquiétante, qui ressemblait à ces petites lumières que l'on aperçoit à l'intérieur des maisons d'une ville inconnue révélée, la nuit, par la portière d'un wagon. Ses meilleurs compagnons ne l'aimaient guère, car il était pauvre et mal vêtu. On ne se sentait pas honoré de le fréquenter. Quand il n'était pas encore là, mais quand on savait qu'il allait venir, on parlait de lui durement, sans indulgence. Cependant, dès qu'il apparaissait, les mains se tendaient dans sa direction et l'on disait d'une voix pleine de surprise plaisante : « Voilà Jean Rabe, hé, comment vas-tu, Jean Rabe? »

Jean Rabe s'asseyait et répondait, en ayant l'air d'éprouver du plaisir : « Je vais bien, merci. » En soi-même, il pensait : « Vous pouvez tous crever, tas de vaches. »

Les meilleurs moments, dans la vie de Jean Rabe, étaient ceux qu'il vivait dans le sillage d'un ami plus fortuné. Il en connaissait quelques-uns qui possédaient ou une situation sociale enviable ou quelques subsides de leurs parents. Ces philanthropes de café aimaient Jean Rabe pour l'agrément que celui-ci pouvait leur procurer dans une nuit dédiée à l'alcool. La nuit achevée, l'ami rentrait bien au chaud à son domicile et Rabe, la démarche incertaine et la tête malade pour s'être dessoulé trop vite, reprenait son chemin le long des rues, cherchant la demeure, chambre ou atelier d'ami, où il pourrait s'allonger sur un divan, malgré le regard hostile de la maîtresse de maison. Les filles de la rue exceptées, toutes les femmes détestaient Rabe, et celui-ci haussait les épaules, car il savait qu'il ne pouvait en être autrement. Mais l'attitude des femmes de ses amis ne l'inquiétait pas. Il n'y prêtait aucune attention : l'essentiel était de dormir quel que fût l'avis des femmes sur cette question passionnante.

*

Cette nuit-là, il pouvait être onze heures; Rabe, après avoir dîné chez un ami à qui il avait tenté, sans succès, d'emprunter quelques sous afin de louer une chambre pour la nuit dans le passage de l'Elysée-des-Beaux-Arts, se décida instinctivement à remonter sur la Butte-Montmartre, où le « Lapin Agile » devait allumer dans la nuit un petit feu rouge.

Il neigeait, et Rabe secoua la neige qui alourdissait son chapeau. Il avait traversé tout Paris, car il venait de Montparnasse, marchant vite, la tête baissée et rentrée dans les épaules, les poings enfoncés dans un pardessus d'été beaucoup trop étroit pour lui.

En marchant, il pensait presque tout haut. Son cerveau travaillait merveilleusement afin de rendre pratique cette idée, qui tout d'un coup lui parut éblouissante : trouver un louis, retenir une chambre pour une semaine, acheter du papier et de l'encre de Chine pour faire des dessins autant que possible pornographiques, afin d'aider à la vente. Ces dessins, il pourrait — qui sait? — les vendre cent sous l'un. Mais il avait beau supputer toutes les chances, il n'espérait point retirer cent francs de cet effort. Il ne parvenait pas à estimer sa valeur commerciale à plus de cinquante francs.

En arrivant place Pigalle, les jambes molles d'avoir patiné sur les trottoirs, il comprit parfaitement la stupidité de ses hypothèses. Il ne trouverait pas le louis espéré. C'était clair.

Il fouilla dans sa poche, en sortit un petit cornet de tabac humide et bourra sa pipe en la protégeant soigneusement contre les flocons de neige qui voletaient autour de lui.

Il alluma sa pipe à l'allumoir du bureau de tabac au coin de la rue des Abbesses. Devant lui, le bar Faulvet rutilait de lumière et d'allégresse. Le piano mécanique déchaîné jouait à grand renfort de timbres et de clochettes la *Sidi-Brahim*. Rabe s'approcha des vitres qui donnaient sur la rue des Abbesses et regarda à l'intérieur. Il n'aperçut aucun visage agréable. Dans un coin, un vieux peintre, qui était son ennemi le plus acharné, bourrait sa pipe devant un verre de café. Ses jambes courtes ne touchaient pas le sol, bien qu'il fût assis sur le bord de la banquette. Il regardait l'orgue mécanique et il ressemblait à un imbécile solitaire.

Jean Rabe fit une grimace en apercevant ce sous-produit des arts. Il se rappelait, et le sang lui monta aux joues, les avanies humiliantes que ce bonhomme lui avait fait subir dans ce quartier. Dès que Jean Rabe entrait chez quelqu'un, on fermait discrètement les portes des armoires.

Jean Rabe contemplait le vieux qui s'épanouissait sous un globe électrique en suçotant le tuyau de sa pipe en terre. Il vit qu'il commandait un demi de bière brune. Ce spectacle acheva de l'écœurer et il continua à monter, tête baissée dans la neige, la rue Ravignan. Il rythmait en frottant ses dents l'une contre l'autre une marche militaire qui résonnait dans sa tête comme dans un microphone. Au coin de la rue Norvins et de la rue des Saules, une voix le héla à travers la neige.

C'était P'tit Louis, un jeune maquereau du quartier que Jean Rabe avait connu quand il portait encore des culottes.

— Bonjour, m'sieur Rabe.

— Ah! bonjour, répondit Rabe.

Tout de suite il pensa à emprunter quelques sous à ce jeune homme avantageux. Il se retint bêtement, son éducation fit le reste et il sentit très bien, en dégringolant la pente mal pavée de la rue des Saules, qu'il avait raté la chance. Cette nuit s'achèverait mal, dans le froid et la misère, plus immonde que le vol.

Derrière sa petite barrière de bois léger, le « Lapin Agile », volets et portes clos, laissait, cependant, transparaître une lueur jaune, d'un beau jaune d'or propre étalé sur la neige blanche.

Il cogna timidement contre le volet de bois plein et la porte s'ouvrit brusquement d'une secousse. Aussitôt une buée de chaleur, de bien-être et d'optimisme l'enveloppa. Il dit bonjour à tous, à Frédéric le patron, coiffé d'un foulard rouge noué derrière la nuque à la manière des pêcheurs du Sud. Cette coiffure ressemblait également un peu à l'ancien bonnet des vieillards de Plougastel. Il était chaussé de bottes et marchait, taciturne, agile, massif et courageux, le dos voûté, la tête basse prête à l'attaque ou à la défense.

Il vivait avec les loups et connaissait leurs mœurs. Ce n'était pas un homme jeune, mais il savait imposer son autorité à des hommes toujours prêts à invoquer la force et le jugement de Dieu.

Il parlait peu et dressait toujours une oreille inquiète du côté de la rue. Son instinct surprenant

16

l'avertissait longtemps à l'avance. Il subissait les ondes annonciatrices de la bagarre, bien avant que les lampes fussent éteintes sous le souffle rapide et tragique de la bataille, méchante, méditée, étonnamment précise dans son action.

— Ça va? dit Frédéric.

— Ça va, répondit Jean Rabe.

— Alors monte près du feu, il n'y a personne.

Jean Rabe monta dans la grande salle, approcha un tabouret décloué de la cheminée en plâtre où un petit feu brûlait dans un foyer grand comme un bol.

Cette salle n'était pas agressive. Elle se confondait très bien avec la misère que Rabe portait en soi.

Tout en frappant sa pipe sur le talon de son soulier éculé, il reniflait le feu, se rôtissait les jambes, le plus qu'il pouvait.

Tout en cherchant un prétexte afin de se faire payer une tasse de café chaud, il suivait d'un regard amusé les souris blanches qui se promenaient sur la cheminée. Elles sortaient d'un trou pour rentrer dans un autre.

Au-dessus de lui, le petit Chouca, le corbeau enfermé dans sa cage d'osier, éternua comme un homme, trois fois.

II

La chaleur du foyer agissait sur les vêtements du jeune homme qui se ratatinaient et s'appauvrissaient encore sous l'effet de la chaleur. Rabe se frottait les mains l'une contre l'autre comme des cymbales.

Les yeux brûlés par la rouge lueur de la bûche qui se consumait, il pensait au feu, au prix du bois, à la douceur d'être toujours assis près d'un feu impérissable.

Rabe se voyait comme un pauvre, mais heureux vavasseur du feu. Autour de lui une neige éternelle ensevelissait petit à petit la ville qu'il habitait. Entre les flocons, des fantômes vêtus de drap de couleur sombre s'affairaient dans un rythme social dont il n'avait souci.

Il mêlait tout ce qu'il avait vu, les yeux piqués par le feu, les hommes, les objets, les paysages et les bêtes. Mais lui seul, en marge de cette vie, était tributaire du feu. Lui seul avait le droit de prospérer avec béatitude dans l'atmosphère créée par le Dieu pourpre.

Au-dehors, dans Paris, la neige conquérante étouffait tous les sons. Le coin de la rue Saint-Vincent était mort et la grande maison rouge sang de bœuf était morte elle aussi. Une seule lumière brillait à son sommet. Rabe, qui voyait cette lueur par le cœur percé dans les contrevents de la fenêtre, imagina qu'elle était habitée par M. de Montmartre, bourreau du XVIII° arrondissement, qui lisait la Bible à ses petits-enfants malfamés.

Cette idée d'almanach s'associait à ce que Rabe pensait de la neige et l'aidait à compléter sa béatitude qui, insensiblement, montait à plus de 25° au-dessus de zéro.

Il chantonnait pour lui seul, comme il arrive parfois en chemin de fer, quand on se laisse bercer par la cadence du train. Frédéric, les mains derrière le dos et le cou enfoncé dans son chandail de laine rouge, allait et venait de long en large. Il s'arrêtait parfois pour allumer sa pipe à une braise qu'il ravivait en soufflant dessus.

— Je sens des vaches dehors, dit-il.

Rabe pencha son visage en souriant :

— C'est bien possible, fit-il poliment.

Puis il se leva à son tour et les mains dans les poches, il s'approcha de la fenêtre et le nez aux vitres, par l'ouverture du volet, il aperçut l'unique bec de gaz du coin qui clignotait faiblement, courbant sa flamme peureuse sous les rafales qui sifflaient dans les arbres du cimetière Saint-Vincent.

— Quel temps! Quel temps! soupira Rabe.

Frédéric revint tisonner son feu.

— Et je te dis qu'il y a des vaches qui rôdent autour de la maison.

— Il n'y a rien eu hier? demanda Rabe.

— Non.

— La bande à Philippi n'est pas venue?

— C'est à elle que je pense, répondit Frédéric.

Il prit sa mandole qui, le ventre en l'air, reposait comme une tortue retournée. Il plaqua quelques accords et chanta tout doucement pour lui quelque chose d'incompréhensible, mais qui s'associait parfaitement à l'humble chaleur du petit feu.

— Veux-tu un café? demanda Frédéric.

— Ma foi, répondit Rabe en se frottant les mains — c'était un geste familier — d'un temps pareil... je ne dis pas non... ça me fera du bien et je suis sans un sou.

Il insista particulièrement sur la fin de sa phrase.

— Je le savais, fit Frédéric.

Jean Rabe but un café bouillant. Le liquide lui brûlait la gorge et le ventre délicieusement.

Frédéric était descendu dans la petite salle. Sa femme s'occupait dans la cuisine et l'on entendait la bonne chanter en sourdine.

Rabe fumait toujours. Il était descendu lui aussi et, par la petite fenêtre du comptoir, il regardait la rue, la silhouette torturée de l'acacia et la neige qui tourbillonnait et lâchait ses flocons silencieux en bataillons légers et hardis.

Tout était blanc autour du petit cabaret et sur le toit des maisons et sur les arbres pétrifiés. On ne voyait même pas une trace de pas sur le sol. Tout le monde s'était enfermé chez soi et les plus inquiets, la tête raide sur l'oreiller, sentaient peser sur eux le mystique silence de la neige.

L'armée blanche s'était lancée à la conquête de Paris. Elle s'immisçait avec perfidie dans les cheminées et dans le cou des agents de police immobiles en leur capote noire. Mais elle ne pouvait rien contre la chaleur du petit feu, et rien contre ce fait que Jean Rabe venait de boire un café qui lui donnait un courage neuf.

« Que faut-il donc faire, pour vivre une vie à trois repas par jour? pensa-t-il presque tout haut. Je n'ai pas de références pour pratiquer un métier qui ne demande aucune connaissance spéciale. Faire des bandes dans les agences? » Il sourit avec amertume à cette pensée.

Un homme charitable lui avait donné un mot de recommandation à cet effet. Au bout d'une journée de travail, en compagnie de vieux professionnels grincheux, jaloux et malveillants, les doigts engourdis par une crampe, il avait gagné deux francs cinquante.

Il avait distribué des prospectus sur la voie publique. C'étaient là des métiers de petits rentiers. Rabe pensait, en attendant qu'un hasard — qu'il n'espérait pas — vînt le tirer de sa misère, qu'il valait encore mieux ne rien faire et tendre des pièges à la toute petite aventure quotidienne.

Il reprit sa place près du feu sur le tabouret estropié. Puis il s'amusa à composer des menus.

« Si j'avais de l'argent, pensait-il, je mangerais d'abord un bifteck très saignant avec des pommes de terre frites. Avant, j'absorberais une douzaine d'huîtres. Si j'étais marié, je mangerais tous les jours chez moi. Je me ferais faire par ma femme du pâté de lapin en croûte comme on en mangeait chez moi à la maison, quand j'étais jeune et que j'avais une maison. Encore cette maison n'était-elle pas tout à fait la mienne, puisqu'elle était celle de mon tuteur. Il y a une nuance que j'ai su distinguer dès l'âge de sept ans. Si j'avais une situation régulière, mon plus grand plaisir serait de lire le journal dans mon lit le dimanche matin. J'irais promener mon chien avant de prendre l'apéritif chez Masuccio. Je serais vêtu d'un complet de sport : une blouse Norfolk, des pantalons de même étoffe, des souliers jaunes. J'aimerais une casquette de même drap que le complet. Un logement de deux pièces me suffirait : l'une serait ma chambre, l'autre mon cabinet de travail. Alors, j'écrirais un roman. »

Il s'arrêta à cette hypothèse et chercha laborieusement sur quoi il pourrait écrire ce roman. Tout naturellement il revint en arrière et reprit la route qu'il avait suivie. Il revit Béthune, Le Havre, Amsterdam, Volendam, Hambourg, Marseille, Florence, Rome, Naples, Palerme et Tunis.

Dans toutes ces villes il connaissait le consulat français. Et le camp de Châlons! Bon sang! Il oubliait le camp de Châlons, le 156e régiment d'infanterie et sa clique qui attendait à la gare de Mourmelon le troupeau de conscrits dont il faisait partie. Il se souvint qu'il était entré ce jour-là dans cette vie nouvelle sans avoir même cent sous dans sa poche pour payer à boire aux anciens. Son pantalon tenait à ses hanches par tout un jeu de ficelles ridicules. Sur la route, entre les baraquements, derrière la clique qui jouait : *T'auras du boudin,* il attendait avec impatience le moment d'être revêtu de cet uniforme qui dissimulerait d'un coup sa misère et la honte de sa misère.

Les pas traînants de Frédéric lui firent lever la tête. Le « boss », comme l'appelait Rabe, s'approcha du feu afin de raviver sa pipe froide. Il se redressa et, regardant Rabe de ses petits yeux clairs extraordinairement vifs, il lui dit :

— Je n'ai jamais vu autant de neige, tu entends ce que je te dis, je n'ai jamais vu autant de neige.

Il alla s'asseoir sur un banc à côté du feu qu'il se mit à tisonner soigneusement avec un ringard.

— Jamais, répéta-t-il.

— Alors, fit Jean Rabe, tu as vu Boguet? Et Combaldi? On ne l'aperçoit plus celui-là, il doit être parti. Rose Blanche vient toujours?

— Elle va venir sans doute. Elle était là encore hier.

— Ce n'est pas grand-chose, soupira Rabe.

— C'est rien, dit le « boss » en baissant la tête.

— On ne sait toujours pas qui a tué le petit Merlin?

— Non.

— Georges est mort aussi.

— Quarante coups de couteau. Il était troué comme une passoire. On a trouvé son chien mort à côté de lui, criblé de coups de couteau aussi.

— A quel endroit?

— Je ne sais pas, du côté du boulevard Barbès... Je ne suis jamais allé par là.

Le « boss » se leva et alla chercher son violoncelle dans un coin. Il promena doucement l'archet sur les cordes. Il semblait jouer en sourdine pour accompagner la chute de la neige.

— Si ce temps-là continue, fit Rabe, ta boutique sera bloquée demain matin.

Le « boss » se leva d'un bond, il se dirigea vers le petit escalier et se pencha vers la cuisine :

— Il faudra dire au père Barbette de venir enlever la neige demain matin!

Puis il revint s'asseoir à côté de Rabe.

— Et toi, qu'est-ce que tu fais?

— Bah! répondit Rabe, ça va plutôt mal. J'ai un copain au Havre, tu as dû le connaître, Herbert Frank?

— Je sais de qui tu veux parler.

— Frank est en ce moment employé chez un courtier maritime. Il doit me procurer une situation comme comptable — tu parles d'un comptable — sur un cargo qui fait le trafic de vins pour l'Angleterre, la Hollande, le Danemark, la Suède et la Norvège. Je pourrai ainsi tirer deux ou trois mois.

— Je connais des Suédois, fit le « boss », ce sont des braves gens, des hommes, je te le dis.

— Enfin, ça fera toujours deux mois de tirés, fit Rabe en salivant avec amertume.

— Veux-tu une tartine? demanda Frédéric.

— Tiens, répondit Rabe, qui en mourait d'envie, mais qui ne voulait pas laisser entrevoir qu'il avait faim, c'est une idée, mon vieux « boss ». Je te paierai cela...

Le « boss » ne lui laissa pas achever sa phrase. Il descendit à la cuisine, ouvrit la porte du buffet, coupa une tranche de pain, qu'il enduisit soigneusement de rillettes appétissantes.

Il apporta cette tartine à Rabe et redescendit encore une fois pour aller chercher deux verres et la bouteille de vin rouge. Ayant rempli les deux verres, Frédéric prit le sien en main, comme pour le réchauffer, et s'étendit à moitié sur le banc de bois.

— Entends bien ce que je te dis : c'est très élégant pour quelqu'un de riche d'avoir faim. Un homme riche peut dire : « J'ai faim », et tout le monde trouvera ça sympathique. Mais toi, ou un autre, du moment que tu es pauvre, tu ne dois pas te vanter d'avoir faim. Ça fait mauvais effet. Tu entends.

Jean Rabe ne répondit pas. Il mangeait sa tartine, toutes ses facultés excitées afin d'apprécier la saveur de ce qu'il mangeait.

— Tu as raison, fit-il la bouche pleine.

Il but alors son verre de vin qui, d'un retour de flamme à l'intérieur, lui incendia le visage.

— Ah dis donc! fit Rabe avec jubilation en se levant pour faire agir ses muscles. Il n'en faudrait pas beaucoup comme celui-là pour me retourner ce soir.

— Je fermerai de bonne heure, dit encore le « boss », car personne ne viendra maintenant. On dirait que la neige a cessé de tomber. La neige, c'est la santé de la terre.

— Oui, dit Rabe, la neige donne à la misère son décor le plus émouvant. Un misérable sur la neige possède encore une valeur sociale, tandis qu'un misérable en plein soleil, c'est déjà de la pourriture.

Le « boss » soupira et, sans répondre, redescendit

de son pas traînant vers la petite salle. On entendit dans la cuisine un bruit de casseroles heurtées. Une voix dit : « Il ne viendra plus personne maintenant. »

A ce moment la porte de la rue s'ouvrit brusquement et un homme jeune apparut. Il était rose et souriant, le froid lui rougissait le nez.

— C'est à cette heure que tu viens, dit le patron en lui tendant la main. Monte dans la grande salle. Rabe est là-haut à côté du feu.

— Bonjour, bonjour, « Frédric », fit le jeune homme d'une voix aimable. Il faudrait des doubles fenêtres pour résister à une telle avalanche.

— Quelle heure est-il? demanda « Frédric ».

— Il est onze heures et demie.

— On va te faire chauffer du vin blanc avec du citron, hein, avec du citron. Monte auprès du feu.

Le jeune homme pénétra dans la grande salle et tendit la main à Jean Rabe.

C'était un grand garçon blond, assez distingué. Il ressemblait à un dessin de Renée Saintenis. Son costume était net, très cossu. Sur son pardessus lourd, quelques taches de couleurs révélaient sa profession. Il était coiffé d'un petit chapeau en étoffe verdâtre qu'il portait en arrière. Une mèche de cheveux lui retombait, bien qu'il la relevât d'un geste familier, le long du nez.

Il étala ses longues jambes et montra des bottines jaunes, toutes neuves, avec des semelles épaisses.

Jean Rabe contemplait ces chaussures avec une admiration puérile contre laquelle il n'avait même pas le courage de protester en soi-même.

— Vous prenez quelque chose à ma santé? demanda le grand blond à Jean Rabe. Et toi aussi « Frédric », bois du vin avec nous. Voici ce que chantait Khàyyam : il récita :

Bois du vin
Car tu dormiras longtemps sous l'argile
Sans un intime, un ami, un camarade, une femme,
Veille à ne jamais dire ce secret à personne,
Les tulipes fanées ne refleuriront jamais.

III

Le jeune Allemand, qui s'appelait Michel Kraus, resserra autour de son col le nœud de sa cravate, fit une grimace assez drôle et pointa la langue hors de sa bouche.

— Destinée, fit-il, est égale à « couic », puis il rigola et vida son verre d'un trait.

— Voilà où nous en sommes, répondit Rabe en tisonnant le feu.

— Oh! ne touche pas au feu! s'exclama le « boss ». Il faut réunir le bois en pyramide et laisser un peu d'air dessous. Le feu aime les pointes.

— Toutes les forces aiment les pointes, dit Michel Kraus : la pensée aime la pointe d'acier de la plume; la foudre aime la pointe de platine du paratonnerre et la sensualité la pointe des doigts; la plus légère danseuse s'élève sur la pointe des pieds et sur les hautes montagnes du monde flottent les drapeaux particuliers de l'orgueil des hommes de l'Europe.

Et, passant sans transition à une autre idée, il soupira :

— Nous sommes trois hommes au milieu du silence attentif de la fin du monde. Les sons ne se propagent plus dans l'air. Nous voyons la Savoyarde se mouvoir à grands élans dans son armature, et nous ne percevons plus que les sons anciens que notre mémoire a gardés et que le mouvement ressuscite...

« Il neige depuis deux jours. J'ai téléphoné à Berlin et j'ai su qu'il neigeait. Depuis deux jours je n'entends plus rien que mon passé. Et quand un homme n'entend plus que son passé, ce n'est qu'un pauvre homme. *Es ist miss!* » — Il traduisit : « C'est moche. » — Cette nuit je ne voulais pas sortir. Mon atelier était chaud comme un ventre. J'avais tiré mes rideaux blancs pour rompre tout contact avec le silence de la rue, de toutes les rues. Mais le silence passait sous ma porte en insinuant, d'abord mon passé et, par logique, le passé de ma race et le passé du monde.

« Je ne me sens pas la tête assez solide pour engloutir cette invasion et la résorber avec la permission de l'animal supérieur que j'habite, moi pauvre infiniment petit voué au communisme par les besoins d'un organisme dont la terre n'est qu'une des nombreuses cellules.

« Je me sentais trop en vedette dans un paysage

de viande, un paysage où les herbes et les arbres n'étaient vraiment que des excroissances de chair comme on en constate dans certaines maladies. Il est certainement possible de vivre dans un tel paysage, puisque nous nous y développons, mais il ne faut pas trop se le redire, car cette idée, répétée et rendue plastique, finit par nous dégoûter de la viande. Voilà pourquoi furent créés les restaurants végétariens. En réalité, le mot pare la nourriture. Ma copine Else, qui peint avec moi chez Jullian, est de cet avis. Aussi elle s'identifie de plus en plus à l'herbe qui est à la viande, mot obscène, un synonyme de bonne compagnie. J'ai lu Walt Whitman, pour y trouver une idée sociale qui fût sincèrement végétarienne. Je n'ai pu découvrir les images que j'avais créées. Le monde suit beaucoup trop les impulsions de ma rêverie, il obéit trop à mes suggestions. Je voudrais que la nature se révoltât contre mes hypothèses. Je voudrais pouvoir me promener en compagnie d'Else dans une forêt comme celle d'Huelgoat en Bretagne, afin d'entendre tous les arbres me crier *devant témoin :* " Nous sommes du bois, nous sommes de l'herbe, nous sommes d'honnêtes végétaux et nous n'avons rien de commun avec la viande d'un intellectuel incommensurable dont les idées pèsent plus que toutes les cosmogonies connues multipliées par un pouvoir sans limites. "

« Quelquefois, quand Else, longue et blonde,

couche à côté de moi et que toutes les cloches de l'éther sonnent dans notre tête commune, il nous semble bien que nous entendons la plainte harmonieuse du vent qui passe entre les vibrations des cloches.

« — Ceci est une vraie plainte d'arbres, dis-je à Else.

« — C'est comme la plainte d'un enfant dans la forêt.

« Le mot enfant gâte tout. Nous sommes impuissants à concevoir un paysage où la vie ne se confond pas avec les idées traditionnelles que depuis des siècles nous créons au sujet de la viande.

« Rien n'existe autour de nous qui puisse nous éloigner de cette image insane que nous ne sommes, depuis la rose, en passant par Else et le bœuf, que des accessoires au service d'une masse de viande qui n'est elle-même qu'une infime partie d'une autre masse de viande encore plus épouvantable par son intelligence. »

— La viande ne me dégoûte pas, fit Rabe. Mais toi, Michel, tu as trop mangé dans ta vie, et tu es puni. Quand je pense comme toi à la viande, mon rêve ne dépasse jamais le poids et l'image d'un bifteck de trois ou quatre livres.

— Je n'ai pas toujours mangé comme un homme honorable, poursuivit Michel Kraus. Ce souvenir n'est plus dans ma mémoire. A Mayence cependant, il n'y a pas si longtemps, des gens m'ont vu tourner au rythme endiablé des musiques de la faim autour de la Tour de Bois. Un jour une petite fille en tablier blanc vint à ma rencontre et me tendit un morceau de pain. J'ai pris le pain, je l'ai jeté dans le ruisseau et la gosse s'est sauvée en ameutant contre moi tout le quartier. Deux dragons, complètement ivres et qui voulurent se mêler de ce scandale, embrouillèrent si bien la cause de mes poursuivants que je pus leur échapper. Je grimpai d'une seule course en traversant la ville jusqu'au Römer-Wall et là, une main sur le cœur pour en comprimer les battements, je cherchai une solution romantique à cette disgrâce momentanée.

« J'entrai chez un marchand de musique pour vendre des chansons aux petites modistes et aux demoiselles de magasin de la Ludwigstrasse et de la Schillerstrasse. Dès lors je fus sauvé de la crainte de rencontrer sur ma route une petite fille en tablier blanc avec une tartine de pain, tendue en offrande. »

— Sans doute, dit Rabe, étiez-vous encore vêtu décemment?

— Mes habits étaient propres, répondit Michel Kraus.

— Alors tout s'explique, conclut Rabe avec un sourire amer.

— Au bord du Rhin, nous sommes ainsi faits que la nature agit sur nous comme sur les plantes au printemps. Alors filles et garçons s'assemblent et le sac au dos, la guitare ou la mandoline en sautoir, ils s'en vont, en se tenant par la main, cueillir les premières fleurs champêtres sur le rocher de la Lorelei. On monte par un petit sentier à travers les arbousiers et l'on peut chanter en dominant le fleuve et maints petits villages, qui, depuis Albert Dürer, n'ont pas changé d'aspect pour qui les contemple de ce rocher. La dernière apparition de la Lorelei se montra sous les traits charmants d'une demoiselle française que l'on appelait : Fräulein Lantelme. Vous connaissez l'histoire. Sa mort coïncida avec le passage d'un régiment d'infanterie dans la rue principale de Boppard. Les fifres et les tambours plats rythmaient une marche apollonienne. Un Lohengrin de la Reichswehr commandait le détachement en qualité de colonel. Des enfants mal coiffés de casquettes d'un rose lie de vin ou d'un vert épinard parfait, l'une et l'autre teinte galonnées d'un passe-poil jonquille, formaient, en suivant la colonne, une haie pleine d'espoir.

« Plusieurs fois, en compagnie de Lotte Bruni, ma bonne amie à cette époque, j'évoquai par le souvenir l'image tendre et gracieuse de cette belle fille qui vint se noyer dans le Rhin, sans doute parce que la tradition et les exigences d'une légende autoritaire voulaient qu'il en fût ainsi. La mort de cette demoiselle révéla en moi le goût de peindre et de mêler, à des paysages publics, des éléments personnels de mon choix. Tout d'abord je peignis des paysages, tandis que Lotte Bruni, émerveillée, apprenait l'anglais dans un livre intitulé : *Fanny Hill.* La tâche était souvent ardue et la pauvre enfant en avait les larmes aux yeux.

« Je peignais et, derrière chaque arbre de la forêt, je cachais un de mes visages secrets. Le soir, en rentrant dans le petit atelier que j'habitais à Biebricht, mes tableaux s'animaient d'une vie sylvestre telle qu'elle pouvait émouvoir un voyageur quand Schinderhannes et ses garçons chassaient sur les routes et les chemins.

« J'ai compris, à cette époque, que je portais en moi un excellent révélateur de la mort et qu'il ne me serait plus permis de voir sans dénoncer la menace qui se dissimule derrière les choses les plus candides. D'un seul coup d'œil, je pouvais me créer une peur inaccessible aux autres hommes. Ce génie spécial qui me permettait de découvrir dans toutes choses les aspects les plus secrets, où le meurtre se dérobait à la vue, fit que je ne pus m'empêcher de me passionner pour mon art.

« Un jour que je venais de terminer une toile dans la banlieue de Francfort pas très loin d'Hœchts, je m'aperçus, en rentrant chez moi et dès que j'eus regardé ma toile, que tout le rayonnement secret de cette image semblait s'échapper d'un puits que j'avais tracé rapidement, comme une valeur amusante, mais sans trop lui donner d'importance dans la composition. La peur s'échappait du puits comme une odeur molle et perfide. Je résolus de tenter une expérience décisive.

« Je me rendis dans un bureau de police.

« — Monsieur, dis-je au commissaire, j'ai brossé une étude ce matin dans un endroit, où toutes réflexions faites, je serais désireux, et cela doit vous intéresser, d'y retourner en votre compagnie. Je ne suis pas un mauvais plaisant. Ce serait trop bête, puisqu'en vous accompagnant je me rends à votre discrétion. Une force profonde me pousse à vous tenir ce petit discours. J'ai la certitude que vous ne regretterez pas de m'avoir cru.

« Un commissaire de police allemand ne résiste jamais à l'agrément professionnel que peut lui procurer une affaire ainsi présentée. Il commanda à un agent de l'accompagner et nous montâmes tous trois dans un taxi automobile qu'un coup de téléphone venait d'appeler.

« Pendant le voyage le commissaire me posa de nombreuses questions sur ma famille. Mon père, décédé, était médecin militaire. Le commissaire m'honora tout aussitôt, à cette bonne nouvelle, d'un énorme cigare parfumé à l'extérieur mais fade au-dedans.

« Après avoir roulé pendant une heure, nous descendîmes de voiture et je conduisis le commissaire et l'agent de police à l'endroit que j'avais reproduit sur ma toile. Notre arrivée avait excité la curiosité : une vingtaine de personnes nous suivaient quand nous arrivâmes devant le puits. C'était un puits en ruine à proximité d'une maison en assez bon état, mais qui n'était plus habitée depuis quelques mois, comme il nous fut dit. Le propriétaire de cette maison était, autant qu'on pouvait le préciser, un électricien du nom de Zweifel. Il venait passer quelques mois dans cette maison, parfois l'hiver, plus souvent l'été. Il arrivait en motocyclette. On le voyait peu dans le pays. Et tout le monde pensait qu'il travaillait à Francfort. Ces renseignements recueillis, je priai le commissaire de faire descendre un homme dans le puits. Un maçon se présenta. On l'attacha à une corde, par précaution. Le puits n'étant pas profond, il eut de l'eau jusqu'à la ceinture. Il raclait le fond avec un râteau, cependant que nous nous penchions anxieusement dans l'attente d'un résultat. Le maçon remonta successivement un vieux seau, un panier défoncé et une tête humaine atrocement décomposée. C'était une tête avec des cheveux roux. »

— Vous étiez verni, dit Rabe.

— Je vous ferai grâce des détails de l'enquête et de la reconstitution du crime. Dès ce jour, je fus, en quelque sorte, un peintre de police. Je touchai de l'argent au ministère de l'Intérieur et, tout en continuant d'exercer mon art, je pouvais signaler à mon

39

administration des points qui, à première vue, paraissaient inoffensifs, mais qui, reproduits sur ma toile, aidaient à mettre au jour les manifestations secrètes les plus terrifiantes de la vie sociale.

« Je suis venu en France pour échapper à ce destin. »

Michel Kraus se prit la tête à deux mains :

— Je verrais un crime dans une rose, ne cessait-il de gémir.

— Pourriez-vous me prêter cent sous? demanda Rabe d'une voix rauque, mais avec une désinvolture assez mal imitée.

Michel Kraus cessa de lamenter sa vie. Il fouilla dans la poche de son gilet et en sortit une pièce de cinq francs qu'il tendit à Jean Rabe sans dire un mot.

Celui-ci, un peu ébloui par son succès, s'intéressa sincèrement au sort de son camarade.

— A votre place, j'abandonnerais la peinture.

— Abandonner la peinture! C'est pour plaisanter, sans doute, que vous me conseillez d'abandonner la peinture. J'ai tout sacrifié pour faire de la peinture et vous ne pouvez imaginer l'existence que je me suis créée pour accomplir la destinée... J'ai...

Il hésita et regarda derrière lui. Le vent secouait la tenture de la porte qui accédait à la buvette. Michel Kraus considéra la tenture avec intérêt et sembla attendre, en prêtant l'oreille, qu'un bruit quelconque se produisît. Il approcha sa tête de l'oreille de Rabe, et lui confia :

— Je suis peintre, comprenez-vous, et je ne veux pas peindre mon portrait... Comment pourrais-je maintenant supporter mon image avec mes yeux mis au service de la police?...

— Bon Dieu, fit Rabe en baissant la tête.

— Allons, fit le « boss », il ne viendra plus personne maintenant, mais je veux vous offrir une dernière bouteille avant d'aller se coucher.

Rabe tâta dans sa poche la pièce de cinq francs et il vit luire devant ses yeux le numéro lumineux de l'hôtel où il irait passer sa nuit, rue Dancourt sans doute, s'il y avait encore une chambre libre. En tout cas, il tenait sa nuit, et à cause de cela toute sa personne rayonnait d'indulgence devant le criminel qui se balançait sur un tabouret dépaillé.

IV

Une main écarta le rideau rouge de la porte et un soldat apparut, naturellement couvert de neige. Personne ne l'avait entendu venir.

— On va fermer, cria le « boss ».

— Ah! fit le soldat, il y a bien une place auprès du feu pour un copain de la Coloniale. J'ai de la neige dans le cou, dans mes godasses et jusque dans le creux de l'estomac. C'est ainsi que l'on conserve la viande pour traverser les tropiques, ajouta-t-il plaisamment.

— Allons, mets-toi près du feu. Qu'est-ce que tu veux prendre?

— Du vin, fit le soldat.

— Tu prendras un verre avec nous, c'est ma tournée.

— J'en offre une autre, dit le soldat avec extase.

— Je vais aller te chercher un verre.

Frédéric mit une braise sur sa pipe et descendit chercher une bouteille dans le placard qui lui servait de cave.

Le soldat s'assit poliment à côté de Jean Rabe qui lui fit une place. Il portait l'uniforme de l'infanterie coloniale. La neige s'était amoncelée sur ses épaulettes jonquille comme sur deux petits toits.

C'était, lui aussi, un homme jeune, avec un visage qu'une misère quelconque rendait distingué.

Jean Rabe essayait de se représenter le caractère de cette misère, car, enfin, ce jeune homme devait être nourri à peu près confortablement, et son lit était encore moins médiocre que celui que Rabe allait choisir cette nuit.

Le soldat but en levant son verre à la hauteur de ses yeux; puis il essuya ses courtes moustaches en se mordant la lèvre supérieure.

— Ah! dites donc, si l'on m'avait raconté que ce soir je me trouverais en votre société, je n'aurais jamais voulu le croire. Je ne sais pas encore pourquoi je suis venu par ici. Mes pas m'ont conduit tout en pensant à autre chose. Je dénicherai bien un hôtel pas trop cher, aux environs, pour passer la nuit? Vous devez connaître le quartier? Et pas une poule à l'horizon à quinze mètres devant soi dans la direction du mirador.

— Il n'y a pas de poule ici, fit le « boss » en retirant sa pipe de sa bouche.

Le soldat le regarda en souriant comme un homme qui n'a pas compris.

— Je n'ai voulu froisser personne, fit-il enfin.

— Je ne dis pas que tu aies voulu froisser quelqu'un, répondit le « boss », je voulais simplement te prévenir. Il n'y a ici que des artistes.

— Ah! fit le soldat. Alors donne-nous une autre bouteille.

— Vous avez fait campagne? demanda Rabe.

— Je reviens du Maroc. J'ai fait colonne là-bas. Voyez ma banane. Il lut: Beni Snassen. A la vôtre.

On but. Le jeune Allemand fit un effort comme pour s'en aller, il regarda le soldat et, avec exaltation, lui cria: « Vous avez une tête sympathique, mais vous me donneriez dix mille francs, dix mille francs, m'entendez-vous? que je ne ferais pas votre portrait. Vous êtes trop sympathique.

— Il est méchant? dit le soldat en se levant.

— Il est soûl, tout simplement, répondit Rabe en appuyant fermement sur le bras du colonial pour l'obliger à se rasseoir.

— Tiens, bois du vin, camarade. Et le soldat tendit un verre à Michel Kraus qui l'avala d'un trait.

— Oui, vous ne pouvez guère comprendre pourquoi M. Kraus ne veut pas faire votre portrait. Son exaltation a mal présenté sa phrase. Vous avez tué, voilà tout.

— Evidemment, fit le soldat, je touche le prêt franc pour ce travail-là, et puis aussi pour faire des routes et monter la garde. En réfléchissant bien, notre rôle est plutôt d'être tué. La mort, quand on

45

la reçoit, prend une tout autre valeur que celle que l'on donne. Celle que l'on donne vous part des mains sans même qu'on puisse s'en rendre compte. C'est extraordinaire ce qu'il faut de sang-froid pour empêcher un fusil de partir.

« Il y a des jours où je me dis : mon vieux, tu n'es qu'un soldat. Pour les uns, cela ne signifie pas grand-chose. On nous débine ou on nous porte aux nues, à la condition que notre présence ne dépasse pas les limites du cadre qui nous enferme. On ne demande guère à nous voir plus de deux ou trois fois par an. Je parle des professionnels, bien entendu, car les autres ne sont jamais que des civils habillés en soldats. Certains d'entre eux s'adaptent assez bien aux usages de notre caste, mais c'est pour passer le temps et se donner un genre, qui ne leur coûte que deux années de service dans la métropole.

« Ce qui domine chez nous, le Dieu qui nous soumet à sa fantaisie, c'est le *cafard* ou le *bourdon*. Ainsi, ce soir, le bourdon travaille. Pourquoi? Je serais bien embarrassé d'en trouver la cause : la neige peut-être. Il faut s'attendre à tout. L'argent que je dépense n'a pas de saveur. A quoi bon s'expliquer là-dessus. C'est inutile, mais il faut en parler. Il est agréable de dire : " J'ai le cafard. " Il est nécessaire que le plus de monde possible puisse constater cet état de crise. Le cafard aime la publicité, comme on dit. Un soldat qui a le cafard voudrait

46

porter une lampe sur son képi, une lampe qui s'illu-
mine en couleurs afin que ceux qu'il rencontre sur sa
route puissent dire : " Tiens, ce soldat a le cafard! "
C'est idiot, mais c'est ainsi. Alors toute la vie du
soldat professionnel se déroule dans son crâne. A
part dix pour cent de types sans cafard qui tâchent
d'obtenir la retraite d'adjudant.

« Et, quand il est adjudant, il n'est pas encore
exempt de faire le Jacques. Il épouse une pouffiasse
sortie de taule; il s'entretient le moteur avec de la
" verte " et il devient comme un alambic larmoyant
et méchant, avec deux bonnes douzaines d'idées
toutes faites sur les signes extérieurs de la discipline.

« Avant d'être soldat à la Coloniale, je voulais
faire du dessin. Je travaillais dans une boîte de déco-
ration industrielle, mais je dessinais pour moi; je
tripotais même l'eau-forte, assez bien. Aujourd'hui
encore je dessine quelquefois, mais sans but... parce
que la force qui me poussait à dessiner est maintenant canalisée au profit du cafard. Le cafard c'est
une grande force d'inspiration active, c'est-à-dire sté-
rile. En art, il n'y a que l'inspiration passive qui puisse
se permettre une création active, naturellement. Je
m'explique mal, mais je m'entends. »

— Ce soir nous nous entendons tous parler, fit
Rabe. Nos deux personnalités, Jekyll et Hyde, dis-
cutent.

— Nous autres soldats de métier, continua

47

l'homme de l'infanterie de marine, nous ne sommes que des fantômes vêtus d'un équipement et de deux ou trois détails de laine et de couleur qui constituent notre esprit de corps. Nous pensons que le monde entier a les regards tournés vers l'ancre de laine rouge cousue à notre képi. Le monde entier s'intéresse peu à cet ornement.

« Notre flamme intérieure, celle qui anime notre existence d'aventures et de caserne, nous révèle en même temps notre véritable personnalité militaire. A part quelques douzaines d'élèves-cabots, nous sommes des fantaisistes dont la vie intérieure est féérique. Le vin pavoise nos rêves de mille banderoles et des chansons de café-concert nous ont fait sortir de notre peau. La peau à nos bretelles de suspension et l'âme à la dévotion de Mademoiselle Mistinguett, dont la voix bouleverse la discipline, nous suivons les huit clairons en pied du bataillon qui sonnent, en traversant les patelins exotiques, la série complète des marches du Sud.

« Il y a derrière le commandant à cheval trois cents cafards individuels maintenus dans les règles de la bienséance par le protocole nécessaire à l'harmonie d'un bataillon en marches d'épreuves.

« Je fus longtemps, quand j'étais en subsistance comme télégraphiste· dans un poste meublé de cinquante tirailleurs sénégalais, à même d'observer et de cultiver tout à mon aise le cafard, orgueil secret des soldats combattants. Pour les employés militaires le cafard se confond avec la neurasthénie, la dysenterie et la flemme. Le vrai cafard ne pond ses œufs énormes et bariolés que dans le crâne d'un combattant. Ces œufs couvés à l'aveuglette éclosent en éclatant sous la forme d'une fusée lumineuse à six pétales, un pour chacune des couleurs fondamentales. Les fusées montent au zénith et s'aplatissent, éclaboussent de chansons à la mode les parois de cristal de la caserne qui ne peuvent contenir les hautes aspirations de tous les soldats possédés.

« C'est au départ de la classe que le cafard geint, siffle, grogne, fait le tour des bouics, abîme le visage des femmes et conduit son homme au local disciplinaire, où l'on espère qu'il se guérira.

« Là, dix cafards enclos dans un chœur d'inspiration noble comme on en entend en Suisse allemande dans les clubs où l'on sait jodler. On tape des pieds contre le bat-flanc et la sombre et perfide force passe sous la porte, propage dans la caserne ou le camp une folie puérile et compliquée. C'est à qui enchérira sur la sottise du voisin. Mais la sottise des hommes est toujours parée d'un je ne sais quoi de subtil qui réjouit le cœur et s'en va grossir le dépôt sacré des traditions du régiment et du corps.

« J'ai bien étudié le cafard, et c'est pourquoi, il y a à peine six mois, avant mon retour du Tonkin, je résolus de considérer le cafard comme une science et comme un art, de l'enseigner aux "bleus" dans l'espoir, d'abord, de me créer quelques subsides et, par la suite, de laisser mon nom : Marcel Launois, attaché à une grande œuvre qui n'est qu'une faible partie de la métaphysique militaire.

« C'est dans la solitude d'un corps de garde où tout le monde ronflait à l'ombre d'une bougainvillée qui jetait son ombre sur la porte du poste, que j'eus le loisir de ruminer ce projet et de lui donner le petit coup de fion nécessaire à sa présentation effective.

« Quand je fus maître de mon système, je commençai à recruter des élèves parmi les contingents qui nous arrivaient du dépôt, choisissant de préférence les jeunes soldats. Je connus, cependant, des anciens qui vinrent me demander des leçons, ayant apprécié l'élégance de mon cours. Les vieux étaient plus difficiles à instruire que les jeunes, ainsi qu'il est de règle. Presque tous avaient déjà fait des études vicieuses sur le cafard et, en quelque sorte, pris de mauvaises habitudes cafardeuses. Ils gaspillaient, en se donnant en spectacle inutilement, des forces d'une puissance prodigieuse. Il fallait imaginer un but qui fût accessible aux aspirations sublimes du cafard.

« Je professais mon cours dans un bouchon tenu par une "pepe" que l'on appelait Incarnacion. Nous buvions du vin comme Noé qui planta la vigne. Et dans l'espoir de ressusciter le miracle légendaire nous enfoncions nos baïonnettes toutes vibrantes dans les tables de bois peint en vert anglais. Les baïonnettes sonnaient comme des cordes de lyre. C'était le cours préparatoire. Puis nous bondissions dans le quartier nègre où nous rencontrions des légionnaires qui avaient autrefois fait partie de notre régiment. On tabassait les bicots — c'est l'expression — et quand on le pouvait on étouffait le pèze des filles d'Aphrodite. Ça ne se passait pas sans cris et sans larmes. Il nous fallut souvent fuir devant une patrouille de zouaves ou de tirailleurs.

« Excusez-moi, Messieurs : pour un vrai soldat de marine, l'Asie, l'Afrique, l'Océanie et l'Amérique se mêlent et s'entremêlent comme les clodoches du quadrille national dans la principauté du Moulin-Rouge. Tantôt je parle du Maroc, tantôt du Tonkin, le cafard n'a pas de patrie, il ne connaît qu'une direction : le Sud. C'est ainsi que je pus créer, pendant mon séjour au Maroc, un royaume, chimérique résultat de tous nos cafards réunis, mis au point et tendus à l'extrême vers ce royaume que je vendais par lotissements.

« Nous savions maintenant qu'il existait quelque part, dans le Sud, plus loin que le pays de la soif, un royaume magnifique qui reflétait, en l'amplifiant jusqu'à la limite dernière de la résonance, la petite idée lumineuse qui, aux heures de trouble, nous rendait semblables à des dieux. En vérité, nous étions des dieux, à raison de trois dieux au moins par escouade. Les légionnaires de la "montée" en bavaient.

« Un soir, nous résolûmes de partir pour ce pays du Sud qui était le nôtre et où le ventre des femmes est lisse comme de la terre de pipe. Nous prîmes le le train jusqu'à la dernière station. Puis nous nous enfonçâmes avec armes et bagages dans la direction du Sud, vers le royaume du Sud, aux portes guirlandées de glycines! Nous étions vingt.

« L'un de nous mourut piqué par une mouche, un autre se tua d'un coup de fusil par erreur. Un petit matin, des spahis nous chargèrent. Un ancien légionnaire qui avait repris du service chez nous tira une balle dans la direction de l'officier : cet homme jeune et fringant s'écroula sur sa selle, le dos à plat dans son burnous rouge.

« Le copain fut, en grande pompe, fusillé derrière un bois de lauriers-roses, et moi je pus m'en tirer avec trois mois de taule qu'on me fit passer dans une villa qui ressemblait à un soufflet d'accordéon.

« Voilà où j'en suis, fit le soldat. J'ai perdu le royaume du Sud. Je n'atteindrai plus jamais la porte aux glycines et la chanson de la jeune fille qui commençait ainsi : " J'ai tant pleuré pour toi... "

« Aujourd'hui, je suis parmi vous, dans la neige... J'ai perdu la route qui devait me conduire vers la capitale où tous mes désirs m'attendaient comme les enfants des écoles prêts à chanter une cantate. Là où mon camarade est mort, devant le bois de lauriers-roses... »

Les joues du soldat se mirent à trembler, son nez devint blanc, il leva la main d'un geste machinal et il se mit à bégayer d'une étrange petite voix :

— Dans le bois... bois de lau... lauriers-roses...

V

— Je ne sais pas où tout ça nous conduira, fit le « boss » en rétablissant encore une fois l'équilibre de son feu. Ce que je sais, c'est que les hommes sont de plus en plus vaches. Ils s'excitent eux-mêmes au contact de leur propre vacherie. Je l'ai observé bien des fois et je n'espère rien de bon de mes observations.

Michel Kraus approuva de la tête. Le soldat n'avait plus rien à dire et buvait machinalement, sans goût. Jean Rabe pensait au temps précieux qu'il perdait à cette heure où, en possession d'une pièce de cent sous, il pouvait s'offrir l'épanouissement divin de dix heures de sommeil sans contrôle étranger.

« Quelle perversité! pensait Rabe. Depuis trois jours, je cours à la poursuite de cette pièce de cent sous, dans l'espoir de dormir une nuit, ailleurs que sur une chaise ou sur un divan, dans un lit payé par moi, et maintenant que je tiens en poche la réalisation de cette félicité, je retarde le moment d'en jouir. »

Il pensa à haute voix :

— J'appelle ça de la bêtise!

— Quoi, quoi? firent ses deux compagnons, le soldat et le peintre-policier.

— Je rêvais tout haut, fit Rabe, je pensais à moi-même, à mille petites choses d'intérêt strictement personnel.

— Voici « Frédric » qui revient avec une bouteille. C'est la mienne! « Frédric », tu as payé la tienne, le soldat a payé la sienne, il n'y a que...

Il n'acheva pas.

— Je prends cette bouteille, fit Jean Rabe, et il posa sur la table sa pièce de cent sous qu'il appuya d'un coup de pouce sur le bois afin de l'empêcher de rouler.

— Garde tes sous, dit le « boss » d'une voix sévère. L'humanité est vache, je te le dis.

Rabe remit la pièce de cent sous dans sa poche, avec un plaisir évident, car il regrettait déjà son accès de mauvaise humeur.

Une voix de femme ranima le groupe des buveurs qui s'éteignait comme le feu sous la cendre de leur passé.

— Tiens, c'est Nelly, fit le « boss ».

En effet, c'était Nelly, couverte de neige elle aussi. Elle se secoua comme un oiseau, et ses cheveux blonds apparurent, mouillés aux tempes et sur la nuque.

— Bonjour Rabe, bonjour Kraus, bonjour tous.

— Voulez-vous boire un verre? demanda Kraus en souriant.

— Oui, un grog bien chaud. J'ai les pieds gelés.

D'un coup de talon elle fit sauter l'un et l'autre de ses mauvais souliers et tendit ses pieds vers le feu. L'un de ses bas était troué et l'on voyait son pouce qui se recroquevillait devant la flamme comme un tout petit personnage indépendant.

— Je viens de chez Vermorel, fit Nelly. J'avais rendez-vous avec mon ami. Elle appuya sur ces derniers mots.

— Beaucoup de monde? interrogea le « boss ».

— Personne, répondit Nelly laconiquement.

Elle sortit un paquet de cigarettes jaunes de son sac et l'offrit à la ronde : « Tiens, griveton », fit-elle au soldat, qui saisit délicatement la cigarette entre le pouce et l'index.

Nelly ne resta pas longtemps assise. Elle se leva brusquement, la cigarette aux lèvres, cambra sa taille et descendit à la cuisine où on l'entendit rire et chuchoter.

C'était une grande blonde, pâle, assez gentille, une figure fripée par la misère, l'amour, l'insomnie, et des embarras gastriques causés par l'abus de la charcuterie, des œufs durs et de l'alcool.

L'Allemand désirait tendrement Nelly, parce que l'extrême misère de cette pauvre fille, vêtue de loques prétentieuses, l'excitait sensuellement jusqu'aux larmes. Nelly profitait de cette situation pour emprunter au jeune peintre des sommes ridicules, en échange de quoi elle ne lui offrait rien.

C'était une créature à la fois rusée et candide. Elle se disait danseuse et quelquefois dactylographe, à son choix. Elle se disait aussi journaliste ou sculpteur. Cela dépendait de ses périodes d'émerveillement pour l'un ou l'autre de ces métiers.

Comme elle mentait avec candeur, il n'était pas possible, même au plus naïf, de croire un seul mot de ce qu'elle disait. Michel Kraus seul avait réussi ce tour de force. Nelly ne lui en gardait aucune reconnaissance. Toutes les nuits elle venait au vieux cabaret comme à son bureau. Elle entrait en coup de vent, serrait la main des copains, et mettait en marche les ressources infinies de son imagination prodigieuse alliée à la plus triste étourderie.

Nelly n'était d'ailleurs désirable que pour ceux qui ne la connaissaient point. Aussi Jean Rabe ne tentait jamais de l'utiliser. Il préférait chercher seul l'aventure d'un lit pour dormir que de s'acoquiner avec Nelly, bien que celle-ci lui eût à maintes reprises proposé de rentrer avec elle, quand elle possédait une chambre. Le plus souvent, elle aussi couchait chez une copine ou chez un vieux peintre qui lui offrait un divan sans ressorts dans un atelier sans feu.

Nelly passait à travers l'existence comme une

feuille morte, une feuille blonde balayée. Elle ne voyait rien, ne retenait rien. Son plaisir était de vivre une vie qu'elle inventait la nuit au « Lapin » devant quelques compagnons. Vie si éphémère qu'il suffisait d'un verre d'eau mêlé de rhum pour qu'elle s'évanouît dans la mémoire de la jeune fille.

On l'entendait maintenant chanter d'une voix fausse et aiguë dans la petite cuisine :

> *En passant près de vous*
> *Je vous ai trouvée si jolie*
> *J'ai cru voir tant d'amour*
> *Au fond de vos grands yeux si doux.*

Le « boss » haussa les épaules :

— Un de ces jours on la trouvera raide, les pattes en l'air sur la neige. C'est un vrai crâne d'alouette.

Le militaire s'était laissé aller, le dos contre le mur. Il dormait, affalé ainsi qu'un fusillé. Sous ses paupières à peine closes on apercevait la sclérotique, comme du blanc d'œuf coagulé.

Le rire de Nelly agaçait prodigieusement Rabe qui s'apprêtait à prendre la résolution énergique d'aller se coucher.

— Quelle heure est-il ? demanda le « boss ».

— Il est une heure du matin et quarante minutes, répondit Kraus.

— Alors, mes enfants, vidons la bouteille et

allons nous coucher. Et toi, soldat, dit le « boss »
sans le toucher, réveille-toi et rentre à ta caserne...
Il est l'heure d'aller se coucher.

A ce moment Nelly passa doucement la tête entre
le chambranle de la porte et le rideau. Sa figure
reflétait une angoisse : « Viens voir », dit-elle au
vieux patron.

Rabe suivit son ami. Par la porte entrouverte ils
virent la rue recouverte de neige immaculée. Personne n'était passé là. L'unique bec de gaz clignotait
devant le haut mur du cimetière Saint-Vincent. Frédéric poussa la porte, regarda à droite, à gauche. Il
aperçut au coin de la rue Saint-Vincent un groupe
d'une dizaine d'hommes immobiles et silencieux.

— Qu'est-ce que c'est? interrogea Rabe en
essayant de passer.

— Rentre vite, fit le « boss », et pousse la porte,
les volets sont mis.

Rabe fit claquer la porte protégée par un épais
volet de chêne dur comme l'acier.

— C'est un groupe de malfaisants, fit le patron.
Je ne sais pas ce qu'ils veulent, mais restez ici. Il
n'est pas prudent de sortir, car vous n'êtes que trois
et tu n'as pas d'arme.

— Quelle barbe, pensa Rabe, c'est la bagarre!

— Ferme la porte de la cuisine, dit le « boss »
à sa femme. Eteignez les lampes. Je vais éteindre
dans la grande salle.

Sans se presser, il grimpa sur un tabouret et mit le gaz en veilleuse. On n'apercevait plus dans la salle, où l'odeur froide de la fumée des pipes devenait agressive, que deux petits feux rouges qui se ranimaient rythmiquement : les cigarettes de Michel Kraus et du soldat. Personne ne parlait.

Cependant Nelly éprouva le besoin de rire. Elle le fit stupidement.

— Veux-tu te taire, bon sang! ordonna le « boss » presque à voix basse. Il ajouta : « Je ne veux plus ouvrir à personne... La maison est fermée. Est-ce trop difficile à comprendre? »

Nelly se tut docilement et alla rejoindre les femmes entre la petite salle et la buvette, à l'entrée de l'escalier qui accédait aux chambres du premier.

Michel Kraus fouilla dans la poche de son pantalon et sortit un revolver qu'il posa à côté de lui sur un tabouret.

— C'est ma veine, fit le « colonial ». Je n'avais pourtant pas besoin d'attirer l'attention sur moi cette nuit...

A ce moment on frappa à la porte.

— C'est des copains, criait une voix jeune et enjouée, des copains de Bébert qui viennent boire le coup chez toi, vieux dab.

On entendit le pas lourd du « boss » qui, lentement, descendait les marches de son escalier, une à une. Par la poche entrebâillée de son ample pantalon de velours gris, on apercevait la crosse noire et quadrillée d'un revolver d'ordonnance.

— Allez vous coucher, mes enfants, dit-il. La maison est fermée, il est deux heures et je ne veux pas risquer la contravention.

— Allons, ouvre, c'est de la part de Bébert.

— Soyez raisonnables, fit le « boss », rentrez tranquillement chez vous. Vous allez attraper froid.

— Tu nous abîmes, firent plusieurs voix.

Il y eut un court échange de mots chuchotés. On entendait vaguement des lambeaux de phrases : « Je te dis qu'il est là... Mais non... c'est le vieux qui l'a planqué. »

— Allons, au revoir, le vioc, fit le même adolescent qui avait parlé de Bébert.

— Au revoir, mes enfants.

Une légère bousculade suivit, puis les voix décrurent. Il n'était pas possible de percevoir un bruit de pas sur la neige.

Le « boss », l'oreille tendue, sortit son revolver de sa poche et libéra le déclic qui le maintenait à la sûreté.

Il finissait à peine d'armer qu'un coup de feu éclata dans la nuit, suivi d'une dégringolade de vitres.

VI

La bataille s'organisa, d'une part dans la lumière de la neige et de l'autre dans la lueur mortuaire d'une lampe Pigeon posée dans l'escalier des chambres, à l'abri des courants d'air.

Deux coups de feu vinrent claquer contre le volet de la porte. Il y eut un court silence et l'on entendit l'eau de la bouilloire ronronner sur la cuisinière.

Un coup de revolver claqua encore, et ce fut le déchirement d'un feu de salve. Des tuiles dégringolèrent. Une vitre de la grande salle, malgré les volets fermés, fut traversée par une balle qui vint s'aplatir contre un tableau moisi et résistant.

Michel Kraus, pour faire du bruit, tira à son tour par le losange des volets. Sa balle s'étoila sur le mur du cimetière. A l'étage supérieur on entendit également un coup sourd, c'était le « boss » qui tirait à son tour.

Une dernière salve d'une dizaine de balles éclata. Une longue flamme mince indiquait la direction des revolvers, et le vieux « Lapin », secoué à chaque assaut, tremblait de toutes ses vitres.

Un sifflement long et aigu déchira la nuit sur toute la longueur de la rue des Saules, de bas en haut. Cela fit l'effet d'une fusée lumineuse qui s'élève et s'achève dans une élégante parabole.

Un autre coup de sifflet lui répondit. Et ce fut le silence.

Chacun, dans la maison, prêtait l'oreille, sans dire mot. Jean Rabe allait et venait de long en large, les mains dans les poches. Pendant la fusillade il s'était accoté entre deux portes. Il pensait : « Quelle bêtise! »

Durant un quart d'heure chacun resta à son poste de combat ou à son poste de défense. Puis l'on entendit le « boss » ouvrir la fenêtre de sa chambre, avec précaution.

Rabe entrouvrit à son tour la porte de la rue. Nelly vint regarder par-dessus son épaule en s'y appuyant fortement. Le jeune homme se dégagea, regarda la neige piétinée, le ciel calme, le couloir sombre de la petite rue Saint-Vincent. Toutes les lumières dans la maison voisine étaient éteintes.

— Tiens, fit Nelly, la neige est pleine de sang. Il y a eu quelqu'un de touché.

Rabe regarda sur le sol et, se penchant pour mieux voir, il aperçut, sous la grande table de bois qui occupait toute la terrasse, un homme accroupi.

— Hé là! vous êtes touché? demanda-t-il.

— Ne criez donc pas comme ça, fit l'homme. Ils ne sont peut-être pas loin.

— C'est qui? demanda le « boss » qui venait d'apparaître sur le seuil de la porte dans la lumière orange du gaz rallumé.

— C'est le type qu'ils devaient poursuivre, dit Rabe. Il est là-dessous. Je ne sais pas s'il est touché.

— Vous êtes blessé? demanda Nelly.

— Non, je me suis coupé la main en tombant sur un morceau de verre. Donnez-moi de l'eau et laissez-moi rentrer, car je sais qu'ils sont là. Ils doivent me chercher dans les jardins, en contrebas de la rue.

L'homme, qui avait quitté son abri, pénétra sans attendre la réponse dans le cabaret et s'arrêta devant le comptoir.

— Donnez-moi un rhum, deux rhums dans un grand verre. J'ai de l'argent pour payer.

Il enveloppa sa main dans un mouchoir.

— Eteignez la lampe... Je vous dis que je les entends encore.

Un frôlement indescriptible révéla une présence le long de la barrière de bois de la terrasse du côté de la rue Saint-Vincent, derrière les lilas.

La porte fut encore une fois refermée et la lampe de nouveau éteinte.

— Ah! dit l'homme, je l'ai échappé belle. Ils

voulaient ma peau. Ils m'ont volé. Et je n'avais pas d'arme. Je n'ai jamais d'arme sur moi.

Ce nouveau client de la Dernière Heure paraissait âgé d'une quarantaine d'années. C'était un petit homme court et trapu, déjà chauve. Il portait toute sa barbe, une barbe brune peu soignée où brillaient quelques poils blancs.

Il était vêtu d'un pantalon à rayures grises et noires, d'une jaquette ridiculement ajustée, en étoffe sombre tachetée de points blancs. Des bouts de fil traînaient çà et là sur ses manches et sur les basques de sa jaquette.

Ayant regardé Rabe en rougissant, il enleva soigneusement, avec une délicatesse de singe, les bouts de fil éparpillés sur ses manches.

— Allons, Monsieur, fit-il en s'adressant au patron. Il ne sera pas dit que vous m'aurez donné l'hospitalité pour rien. Servez-nous une bonne bouteille de vin rouge, un vin rouge un peu tiède, à la température du sang... Il ricana... La vie est tout de même curieuse pour qui sait observer entre minuit et trois heures du matin.

« La plupart des gens ne se doutent pas de tout ce qui peut se passer entre la moitié de la nuit et le commencement du jour. Il n'y a pas d'imagination : il y a la réalité observée d'une certaine façon. Vous me direz : " Mais mon cher homme, qu'est-ce que vous foutiez dans les rues, avec votre costume

66

de gentilhomme, entre deux heures et trois heures du matin? " A ça, je répondrai : cela ne regarde que moi... »

— Dites donc, on ne vous demande rien, fit Nelly d'un ton aigre.

— Oh mais, elle est agressive! constata le bonhomme d'un ton enjoué.

Le « boss » revint avec sa bouteille. Il n'avait plus envie de dormir. Et il attendait la protection du jour pour s'abandonner au sommeil. L'homme servit lui-même à boire en commençant par remplir le verre de Nelly.

— Non, pas de vin pour moi, dit la jeune fille. Donne-moi une bénédictine, mon vieux « boss ».

L'homme grimaça, fit entendre un sifflement réprobateur et prit pour lui le verre de Nelly. « Madame est de la gueule », remarqua-t-il simplement.

Il offrit la bénédictine et veilla à ce que le verre fût rempli jusqu'au bord.

— Penchez-vous pour le boire, cria-t-il, comme Nelly allait prendre le petit verre, autrement vous allez en perdre.

— A la tienne, beau brun, fit Nelly en prenant le verre et en le portant sous le nez du personnage. Puis elle but.

— Elle est têtue, dit l'homme. Enfin buvons, cette affaire est réglée. Tenez, Monsieur le patron, voici votre verre. Est-ce que la porte est bien fermée?

Parce que je ne voudrais pas que ces messieurs reviennent assiéger cette boutique.

— Ils ne reviendront pas maintenant, répondit Rabe.

— Attendons le jour pour sortir, dit le soldat, car je ne tiens pas à être pris dans une bagarre, précisément aujourd'hui. Dans trois heures, je serai en civil.

— Quel avantage! répondit Rabe en secouant la tête.

— Vous êtes tous des artistes et Mademoiselle aussi, dit l'homme, moi je ne suis pas artiste, je suis boucher aux environs de Paris, mais j'aime beaucoup les arts, la musique surtout, la grande musique même. J'aime particulièrement la musique religieuse. Ça m'élève l'âme et ça me pousse à toutes les extrémités. Nous avons tous une petite idée derrière la tête, tous sans exception; cette idée-là, nous la connaissons mal nous-mêmes, elle est comme un veau mort-né, un fœtus, un poulet à ses débuts dans l'œuf. Il faut éviter de trouver à ses dépens le produit qui donne à cette idée une vie normale et puissante, une puissance plus forte que celle que le bœuf possède dans sa tête et dans son cou. Une idée qui vous morcelle le raisonnement à coups de cornes. Voilà ce qu'il faut éviter de trouver. Pour les uns c'est la femme, pour les autres, comme moi, c'est la musique qui donne de la volonté et du mouvement à cette arrière-pensée. Pour les plus vulgaires, c'est le sang. Le sang est un excellent révélateur de la force inconnue qui travaille le crâne des idiots. Plus les gens sont bêtes et plus leur imagination est magnifique, et naturellement, surprenante. Ça je l'ai observé. Je tue tous les vendredis deux bœufs, deux veaux et trois moutons. Je connais la valeur du sang, ses reflets, son odeur et les idées qui se cognent les unes contre les autres entre les quatre murs de l'abattoir. C'est l'arrière-boutique de la pensée des hommes. Nous possédons tous, très loin dans la nuit de notre pensée, un abattoir qui pue. Quelquefois, mais rarement, il sent bon. C'est également parce que nous possédons tous, vous le savez aussi bien que moi, un petit coin pour ranger ce qui reste d'un peu propre en nous-mêmes. Il y a des souvenirs de famille (il baissa la voix), les enfants. De temps en temps j'aime à regarder là-dedans. J'aime à mettre mes mains dans le linge propre et dans les fleurs desséchées qui sentent la tisane. J'ai besoin de fraîcheur dans mes mains quand je reviens de l'abattoir.

— On vous a donc volé? demanda Jean Rabe.

— Oui, oui, ces cochons-là m'ont volé un paquet comme je sortais... d'une rue.

Il n'acheva pas sa phrase, mais il répéta : « d'une rue », avec complaisance. Il se caressa doucement la barbe de ses mains terribles.

— Il y a des nuits où l'on voudrait ranger l'arrière-boutique, jeter à la rue les tristes collections d'images qui vous dominent. Une arrière-boutique, propre, bien aérée, bien ouverte sur la rue, avec de l'air dans tous les coins, croyez-moi, Mademoiselle et Messieurs, c'est l'idéal que je vous propose.

Nelly regarda Jean Rabe et, clignant de l'œil dans la direction du boucher, elle se toucha le front au-dessus du sourcil.

— Bah! répondit Rabe tout doucement. Il est comme d'autres, comme tant d'autres, mais nous ne sommes pas « réglés » sur ses ondes. D'ailleurs, il ne servirait guère de le comprendre.

Le « boss » qui n'avait rien dit, mais qui avait écouté attentivement les paroles de l'homme, demanda : « Où est-elle, votre blessure à la main, je ne vois rien? »

— Ah! fit le boucher en regardant sa main, vous y pensez encore. J'ai cru m'être blessé. L'émotion, la fuite, ma chute, tout contribuait à me donner cette impression.

— Ce n'était pas votre sang, dit l'Allemand.

— C'est en effet bien possible. L'abattoir, la rue, tout était extraordinairement plein de sang, cette nuit. Peut-être même était-ce la neige qui permettait qu'on remarquât mieux ce détail. Et puis le sang « fournit » beaucoup. Un petit crime dans Paris, un pauvre homme, une pauvre fille, égorgés, éventrés ou découpés et la ville est éclaboussée de rouge. C'est bien fait. Le sang répandu sonne comme le tocsin dans tous les postes de police de la création. Voyez-vous, une petite goutte de sang humain répandue criminellement dans la rue ou dans une chambre, pourtant discrète, et tout se met à hurler autour de l'assassin comme le vent dans les fils télégraphiques.

Le boucher resta un court moment pensif puis il ajouta : « Seulement il y a des assassins qui sont sourds. »

— Comment avez-vous rencontré cette bande ? demanda le « boss ».

— Comment ? L'homme releva vivement la tête. En voilà une question. Vous avez le talent de poser des questions inattendues. Comment ? Est-ce que je le sais ? Probablement comme on rencontre une bande de loups au galop sur la neige. C'est cela même : il y a la neige, il y a les loups. Et moi, leur victime, je courais de toutes mes forces, mon paquet sous le bras et les yeux hors du crâne. En route, au coin de la rue du Chevalier-de-la-Barre, je crois bien, ils ont tiré sur moi. J'ai entendu une balle sonner devant moi sur la plaque de fonte d'un égout. Tous ces hommes pouvaient se comparer à des loups, dont ils avaient le pas élastique et tenace. Je courais et je sentais le souffle chaud de la mort et ses dents glacées sur mon cou. Je leur ai jeté mon paquet dans les jambes et j'ai pris sans réfléchir la petite rue, à gauche, tout de suite en sortant. J'ai vu le cabaret. J'ai frappé à la porte mais vous ne m'avez pas entendu. Alors je me suis glissé sous la grande table, dans la neige et dans l'ombre. J'ai assisté à toute la bataille et je me répétais sans me lasser : « Mon Dieu, faites qu'ils ne me voient pas, montrez votre puissance, mettez-leur un bandeau sur les yeux. » Et ils ne m'ont pas aperçu.

— Alors Dieu a exaucé votre prière, dit Kraus.

— Ça c'est une autre affaire, répondit d'un ton sec le petit boucher trapu.

— Je ne sais d'où tu viens, ni qui tu es, fit le « boss » d'une voix ferme. Mais je sais que tu l'as échappé belle cette nuit. Je ne veux pas te connaître, cela ne me regarde pas. Le jour se lève, tu peux partir. C'est l'heure. Tu n'as pas besoin de me remercier. Et tu n'as pas besoin non plus de revenir par ici, car je ne t'ouvrirai pas la porte. Tu as une tête que je n'aime pas.

Le « boss » se leva. Rabe lui serra la main. On entendit la baïonnette du soldat qui raclait le bois de la table.

Le jour livide pénétrait dans la grande salle et par la porte large ouverte. L'air du petit matin glaçait déjà les épaules brisées par la nuit et par le poids de la misère qui retombait sur chacun avec le jour qui naissait.

72

— Adieu! vieux « boss », cria Rabe, je pars pour je ne sais où.

— Adieu, répétèrent les autres.

Le « boss », debout devant la porte de sa petite maison, comme un capucin barométrique, regarda la bande qui s'éloignait sur la neige.

Il huma une grande gorgée d'air glacé et, après avoir regardé à droite et à gauche, il rentra dans son cabaret, dont il referma soigneusement la porte derrière soi

VII

La morne petite troupe, que suivait un misérable chien né de la nuit, s'arrêta place Ravignan devant un hôtel où Rabe s'apprêtait à louer un cabinet pour trois jours. En comptant un franc par jour pour la location, il lui restait encore deux francs afin de tenter l'escalade d'une haute et aride journée d'hiver.

Il serra les mains du soldat, du boucher, du jeune Allemand qui habitait en face, dans un atelier bâti en planches disjointes.

— Je ne sais pas où coucher, dit Nelly.

— Alors reste avec moi, fit Rabe.

Le soldat et le boucher demeurèrent l'un devant l'autre à la porte de l'hôtel.

Nelly et Rabe, quand ils furent couchés, s'endormirent tout de suite.

— Cette fille est stupide, fit le boucher, elle aurait beaucoup mieux fait de venir avec moi... parce que je sais plus quoi faire. C'est mon paquet qui m'embête... Enfin... Je vais donc vous dire adieu.

Il tendit la main au soldat, puis il s'éloigna en trottinant à petits pas dans la direction du Moulin de la Galette.

Le soldat resta seul, très indécis. Il gelait dans sa capote. Enfin il compta ses sous. Il en fit tomber sur la neige, les chercha pendant quelques minutes. Puis il se dirigea au pas gymnastique vers le bar Faulvet dont le patron remontait la devanture de fer à grand bruit.

De la fenêtre de son atelier, le jeune Allemand, qui le premier s'était mis à l'abri dans son domicile, le regardait fuir d'un air goguenard.

*

Le boucher rentra chez lui, au maquis, rue Caulaincourt. Il habitait une petite maison en bois, composée d'une chambre, d'une cuisine et d'une étroite boutique dont le sol était pavé. A des crochets de fer quelques morceaux de viande étaient pendus. Au-dessus de la porte d'entrée de cette boutique qui donnait sur une des ruelles du maquis était inscrit, en lettres grossièrement peintes en blanc sur un fond noir, son nom :

ISABEL

Sur les carreaux de l'unique fenêtre on pouvait lire ces mots dessinés au blanc d'Espagne :

Boucherie de choix — Occasions en tous genres
Soldes

Le boucher-soldeur, qui s'appelait en effet Isabel, et pour tous simplement Zabel, ouvrit la porte de sa boutique, donna de l'air, un coup de balai, et alluma un petit poêle déjà bourré de copeaux et de charbon. Le petit poêle se mit à ronfler tout d'un coup et le bonhomme promena avec satisfaction ses mains gourdes devant le tuyau qui déjà laissait rayonner la chaleur.

Une voix de fillette se fit entendre tout d'un coup à la porte :

— Monsieur Zabel, donnez-moi un bifteck de dix sous. Bien placé, c'est pour Mme Lornoy.

— Ah! Ah! fit le boucher. Ah! Ah! Mme Lornoy prend toujours de la bavette.

— Je ne sais pas, Monsieur, répondit l'enfant, qui était une blondinette d'une dizaine d'années, coiffée de cheveux fous, dont le maigre visage sale et spirituel montrait des traces de doigts qui avaient dû tripoter du charbon.

— Voilà ton bifteck, Mademoiselle... Ah! Ah!...

Zabel se plaça devant sa porte pour mieux voir la fillette s'éloigner. Il passa sa main dans le col de sa chemise afin de l'élargir et regarda tout autour de soi.

77

— Ah! il faut rentrer, dit-il en parlant tout haut.

Il consulta sa montre. Elle marquait huit heures du matin. Zabel, l'air préoccupé, la remit machinalement dans sa poche tout en mordillant les poils de sa barbe, sous sa lèvre inférieure.

Quand il eut pris une décision, il alla décrocher sa jaquette qu'il avait troquée contre sa courte blouse professionnelle et l'inspecta. Il remarqua des taches qu'il lava avec soin à l'eau tiède et au savon. Il gratta même par places l'étoffe avec un couteau à désosser qu'il retira des basques de son vêtement de cérémonie. Il en examina la lame minutieusement, dans le creux des lettres de la marque gravée sur l'acier, le long du manche, à la virole.

— Ça va, fit-il.

Et il jeta le couteau avec les autres sur l'étal, où des rognures de viande pour les chats et les chiens s'amoncelaient.

Zabel soupira et finit par s'asseoir sur son lit. Il tenait dans ses mains son gros portefeuille en croupon de veau. Il l'ouvrit avec précaution et compta, en les froissant un à un entre le pouce et l'index, une dizaine de billets de mille francs. Il les compta deux fois, les réunit par une épingle, les remit dans son portefeuille qu'il plaça soigneusement dans une boîte à cigares vide.

Zabel prêta attentivement l'oreille dans la direction de la ruelle. D'ailleurs, du lit où il était assis, il voyait la porte de sa boutique et la ruelle boueuse, bordée de noisetiers effeuillés, jusqu'au coude qu'elle formait avant de rejoindre la rue Caulaincourt.

Il n'entendit rien. Les habitants du maquis dormaient. Pour la plupart une journée d'hiver était encore trop longue à vivre. Zabel souleva soigneusement une lame du plancher de sa chambre et glissa la boîte à cigares dans la cavité, puis il remit la lame à sa place, la recloua avec les mêmes pointes et remplit la rainure de poussière.

Il eut encore le temps de méditer à son aise et, las de méditer, d'aller prendre un apéritif au bureau de tabac. Quelques ménagères vinrent lui acheter leur déjeuner.

Tout le monde se plaignait de la dureté de l'époque, et Zabel annonça qu'il se verrait obligé de fermer sa boutique si les affaires n'allaient pas mieux.

— C'est encore la brocante qui me permet de manger à ma faim, je vous le dis sans détour.

Isabel, son déjeuner sitôt expédié et son café bu, se mit à tourner dans ses trois pièces comme un léopard de jardin zoologique. Il pensait avec une violence qui lui faisait monter le rouge au visage. Il examina plusieurs fois la place où il avait caché le portefeuille. Il alluma même une lampe afin de l'éclairer quand le crépuscule de la nuit vint agrémenter son logis d'une mélancolie pernicieuse.

Le boucher alluma ensuite les deux lampes de sa boutique. Elles projetaient sur la neige, qui commençait à fondre, une sale lueur jaune. De la venelle, on pouvait apercevoir le triste Isabel assis derrière sa caisse en bois blanc entre deux quartiers de mouton accrochés au plafond. Son nez remuait drôlement du bout et il mâchonnait sa moustache. A neuf heures et demie, M. Isabel éteignit ses deux lampes et ferma sa boutique avec ostentation. Il attendit patiemment dans l'obscurité.

On frappa à sa porte.

— Qui est là?

— Vous êtes couché?

Isabel reconnut la voix d'une voisine que l'on appelait, à cause de sa vie intime, la Môme Salaud.

— Vous vous couchez sans lumière, comme les poules, père Zabel?

— Oui, parfaitement, je me couche sans lumière, comme les poules, ça fait des économies.

— Hé bien, bonne nuit, je me débine. Je voulais un quart de foie mais ça sera pour demain.

La fille se sauva au petit galop.

Zabel se frotta les mains avec satisfaction. Maintenant tout le monde saurait, dans le maquis, qu'il avait pour habitude de se mettre au lit sans lumière.

Il attendit encore un peu et, quand dix heures sonnèrent au Sacré-Cœur, il ouvrit tout doucement la fenêtre de sa chambre qui donnait sur les jardins. Après avoir regardé à droite et à gauche, il enjamba la barre d'appui et sauta sans bruit derrière un appentis qui servait de latrines.

Il put traverser le jardin désert, et en longeant la palissade il arriva devant une petite maison en bois, comme toutes celles du maquis. Cette maison était protégée par une haie de lilas et de sureaux. Zabel se dissimula dans l'ombre de la haie et, sûr d'être arrivé là sans avoir été aperçu, il entra doucement la clef dans la serrure. La porte refermée derrière lui, il craqua une allumette qui ne s'enflamma pas, puis deux, puis trois. La quatrième flamba enfin. Zabel alluma la bougie dont la flamme clignotante éclaira la pièce.

Il retint son souffle, et le poids entier du corps pesant sur la pointe d'un seul pied, il écouta, sans essayer de faire un mouvement. Autour de lui, dans la chambre, tout était rangé avec ordre. Un lit-divan, défait, une table d'acajou avec des papiers, une autre en bois blanc, un fauteuil d'osier, deux chaises cannées, une armoire en chêne, composaient tout le mobilier. Sur les murs recouverts de papier à rayures jaunes, quelques tableaux étaient accrochés. Ils témoignaient l'effort d'un artiste timide et peu doué. Ce n'étaient d'ailleurs que de mauvaises copies d'images en couleurs prises dans le supplément illustré du *Petit Journal.*

Zabel se détendit lentement. Une grande mollesse succéda à la raideur de son attitude. Le malaise ne dura pas longtemps. Du pas nonchalant et tranquille de quelqu'un qui est chez soi, il pénétra dans la cuisine qui s'ouvrait à côté de l'armoire comme un gouffre noir où la peur pouvait se glisser ainsi qu'une larve miaulante.

Isabel s'y dirigea parfaitement, en familier de la maison. Il prit sur la planche, au-dessus du fourneau à charbon de bois, une lampe à essence, la secoua pour s'assurer qu'elle était pleine, et il retourna dans la première pièce, afin de l'allumer à la bougie.

— Il faut économiser les allumettes, dit-il à demi-voix, avec un épouvantable sourire.

Il revint alors dans la cuisine et fureta dans le placard. Il y trouva un morceau de pain, une boîte de sardines qu'il ouvrit, du vin blanc dans un litre entamé, rapporta le tout dans la chambre à coucher et dressa le couvert.

Il avala voracement la moitié de la boîte de sardines, laissa le pain, et but un grand verre de vin, ce qui lui fit faire la grimace.

— C'est bien, murmura-t-il, demain j'apporterai de la viande fraîche.

Il jeta sur les objets un dernier coup d'œil, remonta le réveil, puis écarta un peu les rideaux de la fenêtre pour que, du dehors, on pût apercevoir sans effort que la chambre était éclairée, c'est-à-dire habitée.

Au moment de partir, il remarqua un large chapeau de feutre accroché à un clou. Il le prit, le soupesa en avançant une lippe boudeuse. Enfin il le mit sur sa tête à la place de son chapeau melon.

— C'est trop petit pour moi.

Il esquissa un geste pour raccrocher le chapeau, mais s'étant ravisé, il le dissimula sous sa jaquette.

— Bene, bene, all right, fit-il.

Alors il sortit, referma doucement la porte, reprit le chemin qu'il avait parcouru, rentra chez lui par la fenêtre.

Dès qu'il fut dans sa chambre, il coupa avec des ciseaux le chapeau de feutre, dont il introduisit les morceaux dans son poêle. Il lui fallut ranimer le feu. Au bout d'une vingtaine de minutes, le feutre fut consumé.

M. Zabel s'étendit alors tout habillé sur son lit, après avoir retiré ses chaussures, et surtout après avoir empilé sur sa poitrine, en plus de ses deux couvertures de laine, tout ce qu'il put réunir de vieilles hardes.

*

Dans la journée, le boucher vaquait à ses occupations tout en pleurant misère devant les chalands.

— Je n'arriverai jamais à joindre les deux bouts, gémissait-il.

Quand il se retrouvait seul, il allait s'asseoir sur son lit, et les bras ballants entre les jambes, il regardait la place où il avait caché le portefeuille qui contenait les dix mille francs.

Le vendredi, il se rendait de bonne heure à l'abattoir afin d'acheter sa viande. L'odeur fade du sang le remplissait d'orgueil et de vanité. Il aimait à causer avec les autres bouchers de son passé de tueur. Il montrait ses mains puissantes en écartant les doigts.

Les autres tueurs le connaissaient bien, l'appelaient Zabel-la-Vache et buvaient volontiers l'apéritif avec lui.

Rentré chez lui, à Montmartre, Zabel affectait de se promener malgré le froid, les manches de sa blouse retroussées jusqu'aux coudes, sa tête chauve coiffée d'un bonnet de coton rouge à rayures blanches. Il s'enroulait autour du cou une serviette pleine de sang qu'il nouait à la façon d'un foulard. Il sentait le sang tiède et l'estomac d'herbivore. Il allait dans cette tenue prendre son vin blanc au bureau de tabac.

— Tiens, disait-il au patron, voilà une entrecôte persillée, tu te mettras ça sous la dent et tu m'en diras deux mots.

— Qu'est-ce que c'est? interrogeait le patron, un grand quadragénaire maigre et borgne.

— Du blanc, comme toujours.

Zabel avalait son verre en roulant une cigarette. Il regardait ses mains diligentes et surtout le petit filet de sang caillé qui bordait ses ongles comme un passepoil.

Il sortait, prenait son pain, son journal, se montrait à tous dans sa défroque de tueur et, satisfait pour huit jours, il rentrait s'enfouir dans l'odeur inquiétante de sa boutique.

*

Le lendemain de son expédition nocturne était un vendredi. Il se rendit aux abattoirs comme d'habitude et, dès son retour, alla prendre son vin blanc au bureau de tabac.

Tonio Biffi, le conducteur de taxi, sa casquette russe renversée en arrière, buvait déjà son apéritif en lissant avec complaisance sa courte moustache brune.

— Vous servez cet homme-là? dit-il au patron, simulant une surprise presque indignée.

— Ah! répondit Paul, le patron, nous nous sommes connus à Nouméa.

Cet échange de propos plaisants terminé, Biffi tendit une large main au « chevillard », qui, la bouche fendue jusqu'aux oreilles, s'épanouissait d'aise.

85

— La même chose, fit-il en clignant de l'œil pour désigner le verre de Biffi.

— Alors, demanda ce dernier du ton protecteur qu'il affectait quand il s'adressait au petit boucher, alors tu as encore assassiné tes frères, ou plutôt tes sœurs! Regardez-moi ce dégueulasse, il est plein de sang! Vous pensez peut-être qu'il pourrait se laver? Regardez-moi ce cochon. Tiens, je ne t'en veux pas, malgré cela, bien que tu aies tout de l'assassin... Et Norbert, on ne le voit plus?

Isabel trempa son bon nez assez avant dans son verre. Il releva la tête et dit:

— Si, je l'ai encore vu hier. Oh! il ne m'a pas parlé. Il se fuitait par la rue Girardon comme un courant d'air... Je l'ai appelé; il ne m'a pas répondu.

— Il y a cinq ou six jours que je ne l'ai pas vu, déclara Paul en servant un paquet de tabac gris.

— Eh bien! c'est curieux tout de même que Norbert ne soit pas venu depuis ce temps, insista Tonio Biffi.

Il baissa le visage sur son absinthe et ne vit pas le clair regard de Zabel qui lui vrillait le crâne à l'occiput.

— C'est un fou, un piqué, déclara Paul, en haussant les épaules.

— Il est un peu drôle en effet, insinua le boucher.

— On dit que Norbert est plein aux as, qu'il a hérité il n'y a pas très longtemps... Il est peut-être allé faire la bamboula depuis cinq jours... Mais il aurait pu inviter les amis... Qu'est-ce que je dis? C'est idiot!... puisque Zabel l'a encore vu hier.

— Hier soir, Monsieur Biffi, il y avait de la lumière dans sa chambre, dit un nouveau venu qui, depuis le début de cette conversation, écoutait, tout en léchant un timbre-poste pour le coller sur une enveloppe.

— Faudra que je passe chez lui pour lui demander ma clef «King Dick», dit Biffi. Et sur ce, je me débine. Je dois aller prendre un client à Passy. Au revoir...

— Quel type! fit Zabel, quand le chauffeur eut disparu. Puis s'adressant à Paul, le patron : « Dis donc, veux-tu un vrai gigot de pré-salé pour midi?... je te le garantis. »

— Apporte toujours et tu me serviras tes boniments après.

— Alors, c'est entendu.

Isabel, avant de rentrer, passa par la petite venelle où, la veille au soir, il avait pénétré dans la maisonnette en planches peinte en grenat.

C'était la demeure de Norbert dit le Moscovite, à cause de son nez écrasé et de ses pommettes saillantes de Tartare.

Dans le jour gris d'hiver, la maison pouvait provoquer une mélancolie acide de bonne qualité. Elle s'associait parfaitement au décor couleur de perle, à la neige, au dégel, à la boue, aux vieux journaux poursuivis par le vent et plaqués contre les palissades. Un grand arbre mort la recouvrait presque de ses branches tordues par des rhumatismes.

En arrivant devant la porte de la maisonnette, Zabel s'arrêta et cria de toutes ses forces : « Norbert! Hé! Norbert! veux-tu quelque chose? » Il attendit un moment et dit tout haut : « Il n'est pas là. »

Il s'approcha de la fenêtre, frappa aux carreaux par acquit de conscience et constata que la bougie qu'il avait allumée la veille était éteinte.

Zabel se frotta les mains et rentra dans sa boutique.

*

Et tous les soirs, durant une semaine, M. Isabel revint par le même chemin, dans la nuit, rallumer la bougie, défaire le lit, dresser le couvert et laisser sur la table les reliefs du repas du soir.

Pendant huit jours il inspecta avec soin les alentours de la maison et la maison elle-même.

Dans le courant de la journée, il venait parfois d'un pas décidé jusqu'à la baraque rouge, heurtait la porte ou la fenêtre et appelait Norbert d'une voix que l'impatience mêlait à un léger courroux.

On parlait déjà dans le quartier de l'étrange attitude de Norbert qui disparaissait toute la journée pour ne rentrer chez lui qu'à la nuit. Encore ne voulait-il pas ouvrir sa porte quand on venait lui rendre visite.

— Mon vieux, disait Biffi, je ne suis pas râleur, mais si je rencontre le Norbert, qu'est-ce que je vais lui passer comme engueulade! Cette tante-là n'ouvre même plus sa porte aux copains. Hier je me suis trouvé devant chez lui vers une heure du matin. Il était là, puisque j'ai vu de la lumière. J'ai frappé. Pas de réponse. Je n'ai pas insisté, car j'aurais fini par démolir son gratte-ciel.

— Il ne répond jamais, dit Zabel, d'une voix doucereuse.

La huitième nuit, comme Zabel venait de quitter la maison de Norbert, après avoir accompli sa cérémonie habituelle, il crut entendre remuer dans un taillis. Le cœur chaviré, il s'aplatit dans l'ombre contre les planches. Tout en retenant son souffle, il fouilla du regard, patiemment, profondément, un à un tous les détails du paysage.

Il aperçut, entre les branches mortes du taillis, une ombre humaine et reconnut Tonio Biffi, qui lui aussi regardait la maison dans la nuit.

VIII

Le soldat de la Coloniale, les deux mains enfoncées dans les poches des basques de sa capote, pénétra dans le bar Faulvet, se fit servir un café chaud et puisa à pleines mains dans la corbeille aux croissants. Il en prit trois qu'il posa à côté de son verre sur le zinc encore enduit de savon minéral.

— C'est du combien que tu comptes? fit le garçon en essuyant une soucoupe.

— C'est du zéro à partir de demain, répondit le soldat. Tiens, le métier — il retira sa baïonnette du porte-épée et la jeta à travers la salle — voilà ce que j'en pense.

La poignée de la baïonnette vibra contre un marbre.

— Ne fais pas le cul, dit le garçon de comptoir. Si tu commences ainsi ta journée, tu te feras boucler avant qu'il soit midi.

Le soldat alla ramasser sa baïonnette, la remit dans

son porte-épée et, les dents serrées, murmura : « Chiries ! »

Puis il paya sa consommation et ses croissants en jetant rageusement une pièce sur le comptoir.

Il était huit heures du matin.

Immobile et hésitant, au bord du trottoir, au coin de la rue des Abbesses et de la rue Ravignan, le soldat chercha sa direction en pointant le nez à droite et à gauche, de même qu'un chien de chasse. Soudain, il fonça droit devant soi dans le passage de l'Elysée-des-Beaux-Arts.

Une toute petite fille qui allait aux provisions avec un filet lui jeta au nez une enveloppe roulée en boule et lui adressa un joli sourire moitié canaille moitié petite fille, puis se sauva en rejetant en arrière ses cheveux fous.

Le soldat se retourna pour voir la môme qui grimpait l'escalier quatre à quatre avant de disparaître, enfin, au tournant de la rue.

Cependant il était arrivé à la première étape de la route qu'il devait parcourir.

Il siffla un refrain militaire.

La porte d'une petite boutique aux volets fermés s'entrebâilla.

— C'est toi, fit une voix à l'intérieur.

— Oui.

Le soldat poussa la porte et pénétra dans un minuscule atelier d'électricien. Il faisait très sombre dans la pièce. On distinguait cependant, au milieu des rouleaux de fil de cuivre et des boîtes en carton pleines de lampes, un grand garçon maigre, vêtu d'une combinaison de toile bleue. Son cou était enfoncé dans le col roulé d'un épais chandail de laine grise.

— J'ouvre les volets et je suis à toi, dit l'homme.

Les volets décrochés, une pauvre vitrine apparut dans laquelle étaient laissés à l'abandon un petit transformateur, une lampe en bois de couleur rouge fané, des isolateurs et un gros rouleau de chatterton.

— Voilà! fit le possesseur de ces richesses en rentrant dans sa boutique.

C'était un homme d'une trentaine d'années, au visage mince assez distingué, la lèvre soulignée d'une courte moustache rousse aux pointes coupées.

— Je rengracie, fit le soldat... Alors tu comprends, mon vieux Toto, je voudrais des nippes. A midi je serai porté déserteur à Lourcine.

— J'ai des nippes, répondit l'électricien. Tu vas t'habiller là derrière, dans ma chambre. Tu feras un paquet de tes fringues de griveton et tu les emporteras avec toi. Je te donnerai cinquante francs, c'est tout ce que je peux faire, et puis tu partiras. Ici, je suis repéré.

— Je ne t'en dis pas plus long, Toto, mais quand tu auras besoin de moi, pour n'importe quoi, tu n'auras qu'à siffler et je viendrai de n'importe où...

Ça tu le sais, comme je savais qu'en venant ici ce matin tu ne me laisserais pas tomber.

— Oui, vieux, je suis repéré par les poulets à cause d'une histoire de journal anarchiste. Enfin, bref, ça serait trop long à t'expliquer. Ce qui existe c'est que tous les deux ou trois jours j'ai la visite, sous un prétexte quelconque, d'un type que j'ai tout de suite identifié, tu peux me croire. Pour moi je ne crains rien, j'ai un parapluie. Mais si l'on venait à te rencontrer ou à trouver tes frusques de soldat, ça pourrait mal aller pour nous deux. Ah! dis donc! tu te souviens de Tuyen-Quang? Tu te rappelles la Kô à Bécan de Grigny, le cabot-clairon de la Légion? Oui. Eh bien, sais-tu où elle est? Non? Je te le donne en mille. Je l'ai retrouvée à Passy. Elle est bonne d'enfant chez des particuliers de la rue des Vignes où j'ai été poser l'électricité il y a six mois. Tu peux croire que j'étais plutôt sonné de la retrouver là. Elle m'a reconnu. Mais elle a mis un doigt contre ses lèvres pour me dire de ne pas jacter. J'ai rien dit, naturellement. Tiens, voilà un complet, il est encore bon, il t'ira, et puis une cotte, et puis un maillot et puis une casquette et puis le pèze. Fais vite.

Il jeta toutes les hardes sur son lit et le soldat se dévêtit rapidement afin de changer de peau.

L'opération terminée, il ressemblait à un ouvrier électricien, car il avait endossé la profession avec les habits du camarade. De son uniforme et de sa baïonnette il fit un énorme paquet.

— Où vais-je balancer cela? demanda-t-il en hochant la tête.

— Où tu voudras, mais loin d'ici... Ah! à propos, quel nom choisis-tu?

— C'est vrai, fit le soldat. Il chercha un moment : « Je m'appelle... il tira de la poche de son veston un livret militaire en règle mais qui n'était pas le sien : Je m'appelle, voyons... Ernst, Jean-Marie, libérable l'année dernière. Le signalement concorde... Alors, adieu... »

Il serra la main de son camarade et s'enfonça dans l'air glacé avec son énorme paquet tel un édredon recouvert de papier gris.

*

Ernst Jean-Marie se rendit à la gare de l'Est et déposa son colis compromettant à la consigne.

Allégé de ce poids, il jubila en regardant d'un air goguenard l'employé.

« Dans un an et un jour, pensa Ernst, avec une certaine satisfaction, ça sera pour toi si je ne reviens pas le réclamer. »

Quand il se sentit définitivement détaché de ce paquet qui représentait pour lui dix ans de vie militaire à travers des bleds monotones et sournois qui ne lui laissaient que des souvenirs de basse qualité, il fut pris soudain d'une grande mélancolie et se promit souvent de revoir Toto, son compagnon d'armes, afin de parler de quelque chose de fané qu'il ne parvenait pas à préciser pour le moment.

Il s'assit à la terrasse d'un café sur le boulevard de Magenta et regarda la vie se dérouler devant lui comme un film lointain, une chose animée, mais cependant morte et qui ne le touchait en rien.

La pensée qu'il était désormais civil lui chauffa subitement les joues. Ce plaisir, il l'avait acquis en marge des lois, aussi n'était-il pas sans mélange.

Et puis il avait faim. Il était également écœuré d'avoir vadrouillé toute la nuit. Cette dernière bordée en uniforme lui laissait un mauvais lendemain de cuite civile. Il venait d'apprécier cette saveur nouvelle d'un lendemain de soûlerie.

Quand il était encore soldat, cela se confondait avec le métier. C'était une image parmi toutes les images du milieu, mais dont il avait établi seul la composition. Aujourd'hui, il ressentait le goût amer de l'échec, c'est-à-dire de la diminution des forces et de la volonté qui lui seraient nécessaires pour payer son pain, sa viande, son tabac et sa chambre, non pas comme un civil pauvre, mais comme un civil pauvre et déserteur.

Il était onze heures.

— Quand j'aurai pris mon café, songea Ernst, je serai porté déserteur. Mon signalement sera connu de toutes les bourriques du pays.

Il ne se frappa pas outre mesure de ce danger, car il pensait qu'avec un peu de chance, et surtout en se tenant tranquille, il pourrait vivre en paix.

Quand il eut déjeuné et bu son café, il se sentit vraiment un déserteur et songea à se procurer du travail. Il usa du moyen classique, acheta un journal, regarda les annonces. Il n'avait appris aucun métier. Il pouvait, à la rigueur, dessiner des bonshommes avec une légende sur papier bristol. Son espoir s'accrocha fermement à cette bouée, bien qu'il n'eût, pour l'avoir déjà tenté avant de s'engager dans la Coloniale, qu'une confiance fragile dans ce moyen de gagner sa vie.

Toutefois il se leva de table et s'en alla rue Monsieur-le-Prince pour se retenir une chambre dans un quartier sympathique.

Un mois plus tard Ernst, n'ayant pu placer un dessin dans les journaux amusants, se trouva, ses bagages abandonnés à l'hôtel, sans ressources au milieu de la rue. Il sut éviter une voiture automobile malgré ses préoccupations, et les mains dans les poches de son veston, la tête rentrée dans les épaules à la manière de Jean Rabe, il commença sa marche en avant, frôlant les boutiques, les mâchoires serrées pour dompter la faim sournoise qui rongeait sa personnalité.

— Hé! vieux, passe la bouteille, tu la trouveras dans le tiroir de ma brouette.

Ernst, le « Lafont » serré aux chevilles, le torse moulé dans un maillot de coton rose à rayures noires, la ceinture de flanelle noire nouée autour de la taille, but à la régalade, à l'ombre de la grue immobile qui tendait son fil au-dessus des cales du cargo *Fraternity* du port de Blyth. Une fine poussière de charbon se mêlait à la pluie et recouvrait les quais d'une boue désespérante qui s'attachait aux bras nus, aux cous nus et aux vêtements élimés des débardeurs du quai de Javel.

Sur la passerelle du petit cargo, un gros homme court, au visage rouge brique, la tête coiffée d'un chapeau melon beige posé de guingois sur le sommet du crâne, indiquait, de temps en temps, la manœuvre des treuils par un coup de sifflet assez discret. C'était le capitaine Howard, commandant le petit cargo britannique. Ernst travaillait depuis dix jours avec les débardeurs de la Seine au déchargement des navires. Assez mal vu par ses compagnons qui se méfiaient de lui, il peinait comme une bête de trait dans l'aigre bise d'un printemps maussade. Il avait acheté à un compagnon qui partait pour le régiment cette défroque qui faisait de lui un anonyme. Le large pantalon à la hussarde des terrassiers, le maillot de coton, la ceinture de flanelle, le bracelet de cuir au poignet droit, tout cela constituait une manière d'uniforme. Ernst était assez sensible pour en sentir l'ironie. Ce ne fut pas sans amertume.

Harassé par ce travail de machine humaine mal mise au point et, de ce fait, inférieure à la grande grue à vapeur qui les dominait tous comme une impératrice en deuil, il s'écroulait de fatigue à la fin de chaque journée.

Il gagnait juste de quoi boire et de quoi manger.

Un soir le chef de chantier débaucha les derniers venus, car il n'y avait plus de travail. Ernst passa à son tour devant la petite guérite percée d'un guichet qui servait de bureau et de caisse. Il toucha vingt-huit francs et s'en alla le long de la Seine à la recherche d'un pont afin de dormir à l'abri du vent.

L'ombre de la nuit donnait au fleuve une apparence fantastique. Mais Ernst ne craignait rien, grâce à son costume, et surtout à ce masque merveilleux de la misère qui lui ouvrait toutes les portes de l'ombre et, au-delà de la nuit, toutes les portes de l'enfer, tel qu'il est humainement concevable.

Ernst trouva difficilement une place sous le pont Mirabeau; les bons coins étaient déjà occupés par les habitués. Le long de la Seine, des filles couperosées, quelquefois jeunes, guettaient dans l'ombre du quai. Elles prenaient parfois un misérable par le bras et s'en allaient avec lui boire du vin dans un cabaret en planches d'où l'on apercevait l'eau qui reflétait de demi-heure en demi-heure la rame éblouissante du chemin de fer électrique de Versailles.

Elles traînaient leurs pieds dans des savates éculées, et quand elles étaient soûles, elles dansaient sous la lune comme des fantômes obscènes, malfaisants et méprisables. Elles ne pleuraient jamais. Et elles étaient dures, physiquement, ainsi que les pierres du quai.

Dans la journée Ernst bricolait comme il le pouvait, sans trop sortir de la zone familière des quais. Le peuple de la nuit disparaissait, d'ailleurs, avec les premières lueurs du jour. Mâles et femelles se dispersaient comme des souris devant le jet lumineux d'une lampe de poche. Tout le monde se dirigeait, en frôlant les murs, vers les terrains vagues du Point-du-Jour ou vers les boqueteaux les plus secrets du Bas-Meudon.

Des filles allaient à pied jusqu'à Versailles afin de manger la soupe à la porte de la caserne des sapeurs du génie.

Ernst attendait le soir avec impatience, car il pouvait alors vivre sans vergogne. Il connaissait une fille toute jeune, blonde et gracieuse. Elle était rongée par la vermine, et si stupide qu'on ne savait dans quelle langue lui adresser la parole. Elle s'était accrochée, avec des gestes de jeune bête franche, à la sombre destinée d'Ernst, sans savoir elle-même pour quelle raison affectueuse et obscure, car la misère avait fait de son amant un homme au visage vert mal rasé semblable à tous ceux qui composaient le peuple du quai et de la brume. Ils ne se parlaient pas et marchaient côte à côte de même que les éléments simples d'une chanson populaire. Elle ne connaissait pas son nom, et lui ne connaissait pas le sien. Quand elle l'appelait, elle disait : « Hé dis, hein, tu viens ? »

Quelquefois, ils retrouvaient sous une arche du viaduc du Métropolitain un vieillard jovial qui couchait là. On l'appelait le père Gaston. Sa réputation était grande sur les quais. Il dormait dans une brouette où il transportait tout son bien.

Quand le père Gaston recevait, l'arche était éclairée par les lanternes qui servent à signaler sur la voie publique la chaussée en réparation. On buvait du vin que le père Gaston envoyait chercher dans une grande bonbonne qui tenait cinq ou six litres.

— Vous direz que c'est pour le père Gaston, recommandait-il à la fille qui se chargeait de la commission.

Un matin que la faim avait aboli en lui d'anciennes idées sur le monde extérieur, Ernst suivit son amie jusqu'à Versailles pour manger la soupe des soldats.

En route, ils trouvèrent une boîte en fer-blanc

qui avait contenu des fruits au sirop. La jeune fille la nettoya soigneusement.

— Il faut bien quelque chose pour mettre la soupe.

— Bien sûr, répondit Ernst.

A la porte du quartier, ils firent la queue derrière les autres. Hommes et femmes, adossés au mur de la caserne, attendaient l'heure de la distribution.

Un clairon rappela au sergent de semaine. La porte de la caserne s'ouvrit et deux cuistots en bourgeron apportèrent la marmite de riz. Ils étaient accompagnés d'un jeune brigadier du génie monté, imberbe et blond, le revolver sur la tunique longue et la jugulaire au menton.

Il assista au partage de la soupe.

— Maintenant, allez-vous-en, dit-il en dispersant les pauvres.

Tous les jours, Ernst revint à la porte de la caserne, attiré plus par l'odeur de la caserne que par celle de la soupe.

Il s'adressait aux habitués de la misérable file, afin de leur expliquer en connaisseur les sonneries de clairon qui révélaient l'activité clandestine des soldats.

— De mon temps, fit un vieux, on sonnait encore pour appeler les officiers, comme cela...

Il voulut imiter la sonnerie du clairon; ce fut lamentable.

Les autres ricanèrent méchamment.

Un matin le cuistot dit à Ernst : — Tu es trop jeune pour venir becqueter avec ceux-là.

Ernst ne revint plus à la soupe du génie. Mais, bien des fois, malgré les averses foudroyantes d'un mois de mars exceptionnellement tourmenté, il s'approcha de la grille afin de contempler, par la fenêtre du poste, les sapeurs en armes qui se chauffaient autour du petit poêle familier.

Ernst prit alors la longue route qui va vers le sud jusqu'à Marseille, qu'il voulait atteindre pour y trouver un autre décor, où il espérait ressusciter.

A la sortie de Dijon des gendarmes lui demandèrent ses papiers. Ernst était trop faible pour s'émouvoir. Il tendit le livret militaire du nommé Jean-Marie Ernst, se déclara compagnon terrassier en route pour regagner son chantier aux environs de Cassis.

— Ça va, débine-toi, fit le brigadier en faisant faire une volte élégante à son cheval.

Ernst s'assit sur une borne et le vertige lui fit dodeliner de la tête. Il ouvrit la bouche comme frappé d'imbécillité. Il lui sembla que sa vie allait se mêler aux herbes et aux pierres le long de la route. Il recouvra, cependant, son poids avant sa dissolution complète. Il se leva, passa ses mains sur son front, sur ses joues mal rasées, autour de son cou. Il essuya machinalement sa sueur grasse et froide.

Il reprit sa route en murmurant des paroles dont

il ne percevait plus le son et le sens, mais ce murmure rythmait sa faim et sa marche :

Il se sentait échauffé
Comme un vieux coq aux abois.

Il répétait machinalement ces deux vers avec cette variante :

Comme un vieux coco en bois.

Le soir il dormit dans une grange et put calmer sa faim. Il gagna même quelques sous en crayonnant le portrait d'une servante qui était fiancée. Il la dessina, avec un crayon rouge et bleu de charpentier, au centre d'une couronne de roses. Dans un angle de la feuille de papier une colombe s'envolait. Elle tenait dans son bec une banderole déroulée sur laquelle il écrivit le nom de la jeune fille : Noémie Butot.

Dix jours plus tard, Ernst pénétrait dans Marseille avec six sous en poche pour aller se faire raser. Quand il sortit de chez le coiffeur, ce fut pour aller rôder devant le Fort Saint-Jean.

Il n'éprouvait aucune curiosité pour la ville. Et maintenant qu'il était arrivé à son but, il ne savait plus comment s'y prendre pour gagner sa vie.

Débarder? Il n'avait pas le courage d'affronter un chef de chantier. Il erra sur les quais, sans rien voir, sans rien entendre que l'idée fixe qui résonnait dans son crâne, ainsi qu'un appel.

Il revint guetter aux abords du Fort Saint-Jean et observa les soldats qui en sortaient sans prendre garde aux gens qui le bousculaient, car il marchait maladroitement.

— Vieux, fit-il, en arrêtant par le bras un soldat qui portait une ceinture de flanelle bleue enroulée sur sa capote, dis, vieux, où peut-on en reprendre pour la Légion?

— Ah! fit l'homme, le pureau te regrudement est oufert le madin à huit heures. Si du as te ponnes tents le major te brentra.

Le lendemain matin à dix heures, Ernst, avec son « faux blaze », s'engageait pour cinq ans.

— Ah! bon Dieu, pensait-il, si je pouvais seulement vendre mes vieilles nippes pour quarante sous; j'irais boire le coup avant de partir.

Il médita ce désir, en subsistance à la seizième compagnie. Et les deux bouts de sa vie se rejoignirent pour former un cercle parfait.

IX

Dès qu'il fut rentré dans son atelier de la place Ravignan, Michel Kraus s'empressa d'ouvrir la fenêtre qui, précisément, s'ouvrait sur cette place. Il contempla d'un air goguenard le départ du boucher, celui du soldat de l'infanterie coloniale, et suivit avec attention le jeu des ombres de Nelly et de Rabe qui se détachaient, éclairées par une bougie, sur les rideaux unis d'une fenêtre de l'hôtel du Pommier.

Quand la bougie fut soufflée, la petite place demeura vide, extraordinairement vide. Alors Kraus atteignit une bouteille de rhum posée sur une table à portée de sa main. Il en but à la régalade une ample gorgée et, rasséréné, cria de toutes ses forces, par la fenêtre toujours ouverte : « Le recours en grâce de Michel Kraus est rejeté. Kraus n'a pas dormi de la nuit. Et maintenant il entend dans son cœur les coups de varlope du menuisier des trépassés. Ce jour, il ferma sa fenêtre pour la dernière fois. »

On entendit le bruit caractéristique d'une fenêtre

mal ajustée que l'on ferme avec violence et la petite place s'endormit de nouveau dans le silence froid de l'aube.

La fenêtre close, Michel Kraus demeura debout pendant plus d'un quart d'heure, en contemplation devant la place couverte de neige. Il tardait encore à ordonner ses derniers gestes. Car, maintenant, tout ce qui allait suivre appartenait à une tragédie mi-sentimentale, mi-littéraire dont il devait être à la fois l'auteur et le héros.

Comme il était blond, il paraissait extraordinairement jeune, de cette jeunesse qui attendrit les femmes. Ses cheveux, dans l'ombre mauve et grise, prenaient une coloration d'une richesse merveilleuse et romantique. Michel Kraus s'assit dans son unique fauteuil en cuir et regarda tout autour de soi les bonnes choses domestiques, celles qu'il aimait et qui lui rappelaient Mayence à travers l'exotisme de Paris. Une grande paix mécanique tournait en lui comme un disque de phonographe d'une musique particulièrement fluide. Il ferma les yeux et ses doigts accompagnèrent le rythme de sa pensée en tambourinant discrètement sur les bras tendus de cuir de son fauteuil.

Toute sa vie se recomposa dans sa mémoire sous la forme d'une série de miniatures dont les personnages étaient animés d'une vie de marionnettes. En vérité, lui-même circulait entre les images comme un petit pantin en feutre assez près de la nature mais avec un élément caricatural très discret et très distingué.

Dans un paysage qui ressemblait à un Albert Dürer à peine retouché par les riches propriétaires de Bingen, des filles en bois tourné avec des têtes de poupées et des robes de cotonnade fleurie valsaient au son d'un violon raclé par un vieux soldat hilare. Elles valsaient lentement, leurs nattes blondes raides et horizontales parallèles à la prairie où les bestiaux, peints à Nuremberg, broutaient des copeaux de sapin coloriés à l'aniline.

Deux pantins habillés en artilleur, avec une toute petite baïonnette nouée d'une grosse dragonne terminée par deux pompons, se tenaient par le bras et traversaient un haut pont métallique en compagnie de deux ballerines de vingt-cinq centimètres de haut.

Michel Kraus désira vivre longtemps avec ces pantins charmants très bien habillés et gonflés d'humour. Une joviale fantaisie tendait leurs joues de feutre un peu ternies par la poussière. Ils vivaient sans souplesse d'une existence sincère qui s'accordait étroitement avec l'air mélancolique et sautillant que le violoniste rythmait avec persévérance.

« Ah! si je n'étais pas plus haut que cet artilleur, pensait Michel Kraus, je pourrais vivre encore **sans** faire intervenir cet abominable dégoût de tout ce qui resurgira quand j'aurai décidé d'ouvrir les yeux. »

Et il fermait les yeux avec rage, comme on serre les poings dans la colère.

Il vit ainsi dans une ruelle obscure près de la cathédrale un pantin de laine avec de gros yeux à fleur de tête et un ventre proéminent soigneusement cousu. Ce pantin guettait dans l'ombre et toussotait discrètement en produisant un drôle de petit bruit d'amorce qui éclate dans du son.

Il était caché sous une porte cochère quand il se précipita, comme une araignée mécanique, sur un deuxième individu de même matière, mais qui représentait un personnage romantique fluet tel qu'on en voit dans les premiers dessins de Wilhelm Busch. Le gros pantin mordit l'autre au cou, derrière la nuque, et il resta longtemps accroché à sa victime, sans desserrer les dents et en fermant à demi ses gros yeux en os gratté.

— Souvenirs d'enfance, gémit Michel Kraus, les yeux toujours clos.

Quelques visions burlesques succédèrent à cette scène de meurtre, puis d'autres images plus étroitement liées à sa propre histoire.

« Au bout de trois, j'ouvre les yeux », pensa Kraus.

Il compta à voix lente. A trois il ouvrit les yeux et se leva.

— J'ai bien encore une heure devant moi, n'est-ce pas, Juni? dit-il à son chat qui, pelotonné sur une chaise près du poêle éteint, surveillait et commentait probablement toutes les attitudes de son maître.

Michel Kraus ouvrit un buffet de bois blanc et en sortit une assiette de pâtée.

— Voilà ta soupe... Tu pourras manger pendant trois jours. D'ailleurs, je laisserai ouvert le vasistas de l'entrée afin que tu puisses sortir et abandonner pour toujours cet atelier funèbre.

Il regarda son chat manger sa soupe. Ensuite il prépara son tub et tira de l'eau dans un grand broc de faïence.

A ce moment on frappa à la porte et la concierge glissa une lettre sous la porte. Kraus déchira l'enveloppe : c'était une invitation pour un bal masqué.

Le jeune homme chiffonna la lettre et l'envoya maladroitement dans la pâtée du chat.

On entendait sur la place, car c'était jeudi, les enfants qui jouaient avec la neige et se lançaient des boules qui leur cuisaient le visage. Les fillettes riaient déjà comme des femmes de Montmartre. Elles montraient des jambes minces dans des bas noirs et des pieds chaussés d'énormes galoches. Perchées sur un banc avec les garçons, elles chantaient en chœur :

> *Ah! qu'on est bien, mademoiselle,*
> *Ah! qu'on est bien près d'vous,*
> *Pourtant, monsieur, lui dit-elle,*
> *Ce pays n'est qu'un trou.*

Kraus écoutait les paroles et sifflait l'air popu-

laire, un air de sa patrie, d'ailleurs. Il n'en fut pas
du tout ému. Tous ses rapports sentimentaux et
patriotiques avaient été réglés avec son pays pendant
l'évocation des pantins, qui n'était qu'une transfor-
mation adaptée à ses besoins d'une scène entrevue
dans la vitrine d'une aristocratique marchande de
poupées sur la Kaiserstrasse, à Wiesbaden.

Michel Kraus prit son tub. Ses épaules grelot-
taient. Il se rasa, le torse nu, mit du linge propre,
se peigna avec soin.

Quand sa toilette fut terminée, il régla ses affaires.
Il lui restait deux cents marks. Il les glissa dans une
enveloppe sur laquelle il écrivit le nom et l'adresse
d'une vieille mendiante qui, plusieurs fois, avait posé
pour lui. Elle habitait dans un taudis du Fort Mont-
jol.

Après quoi il prit un couteau et commença à crever ses toiles une à une.

Quelquefois il s'attardait à en contempler une qui
lui plaisait ou qui simplement lui rappelait des souvenirs importants. Il y enfonçait le couteau comme
à regret. Il déchira des dessins et des esquisses; il
lacéra également quelques toiles et dessins de ses
amis.

Après quoi il brisa sa palette, ses pinceaux, sa
boîte. Il aplatit ses tubes de couleurs et rompit ses
livres en deux, en les partageant dans le sens de la
hauteur.

Quand il eut terminé sa besogne, il releva la tête et entendit le lugubre gémissement d'une sirène qui annonçait le repos des ouvriers.

Kraus prit alors une corde à sauter qu'il avait achetée la veille dans un bazar et il l'éprouva en l'accrochant au bouton de la porte et en tirant dessus de toutes ses forces. La corde était solide.

Le chat Juni, maintenant juché au sommet de l'armoire, ses pattes rentrées sous lui, contemplait l'agitation anormale de son maître avec des yeux ronds et verts nettement désapprobateurs.

« Je ne regrette qu'une chose, pensa Michel Kraus, c'est de ne pas savoir de quelle manière mes compagnons de la dernière nuit vont liquider leurs petites affaires sérieuses. Il y avait, si j'ai bonne mémoire, un boucher marqué par la mort, un soldat marqué par la mort. Quant à Rabe et Nelly, je ne sais me prononcer. Après tout, ceux-là possèdent un cœur relativement pur. J'aurais pu peindre les portraits de Rabe et Nelly sans danger et sans inquiétude... »

Soudain Michel Kraus sentit que les larmes lui montaient aux yeux. Il prit alors son phonographe, le remonta, choisit un disque, le mit sur le plateau de l'appareil à portée de sa main sur le haut de l'armoire, à côté de Juni.

Il monta ensuite sur une chaise, attacha une extrémité de sa corde à un anneau scellé dans le plafond et se passa l'autre bout, terminé en nœud coulant, autour du cou. D'une main, il poussa le déclic du phonographe et le disque se mit à tourner. Michel Kraus entendit le grincement caractéristique de l'aiguille sur le plateau de cire. Alors il donna un grand coup de pied dans la chaise et se pendit.

Devant la fenêtre, une douzaine d'enfants qui se regardaient d'un air ravi, écoutaient le phonographe qui, consciencieusement, débitait une marche tzigane avec toute l'imperfection d'un appareil encore à ses débuts.

*

Au moment même où Michel Kraus se suicidait, un apprenti mécanicien trouvait, dans un terrain vague, au-dessus du square Saint-Pierre, un paquet enveloppé de papier gris qu'il s'empressa de développer.

Il recula épouvanté, car il venait de découvrir une tête humaine encore fraîche et dont le caractère macabre s'amplifiait, grâce à ce détail.

Le jeune homme, aussi livide qu'un clown, courut chercher du renfort. Il revint avec des agents qui s'emparèrent de la sinistre trouvaille pour la porter au commissariat de police voisin. Ce fut M. Tonio Biffi, inspecteur de la sûreté, qui fut chargé de commencer l'enquête.

X

Vers midi Nelly se réveilla. Rabe la regardait dormir depuis plus d'une heure. Il frémissait de rage impuissante, car il n'aurait jamais pu dire, à cette jeune fille qui avait besoin de sommeil, de s'en aller.

Il estimait peu la vie des autres et la sienne. Mais il respectait le sommeil, la faim et la soif qui rendent l'homme aussi simple, aussi violent et aussi pur qu'un animal quelconque. Rabe aimait les bêtes et les respectait également. La présence de Nelly dans cette chambre d'hôtel lui gâtait son plaisir d'être tranquille pour quelques jours sous un toit. D'un coup d'œil, Rabe arrangeait déjà cette pauvre et minuscule chambre en ne dépassant point les limites du confort qui lui était permis.

« Si je pouvais toujours vivre ici, être assuré de loger ici, pendant des années, pensait Rabe, je mettrais une petite étagère au-dessus de cette table afin d'y ranger des livres. J'accrocherais au mur quelques photos achetées au Louvre. J'aurais un pot à tabac, un râtelier à pipes. Ce serait ainsi tout à fait bien, mais, en somme, encore trop au-dessus du plafond de ma vie. Si Nelly pouvait se réveiller et s'en aller, je resterais au lit jusqu'à midi. Il me reste, ma chambre payée, une quarantaine de sous, de quoi prendre un quart de vin, une demi-portion et un dessert au restaurant qui fait le coin de la rue Lepic. Si Nelly ne s'en va pas... Alors? Alors je serai forcé de partager bêtement mes quarante sous avec elle. Je l'enverrai chercher des frites et des saucisses cuites dans la graisse. Je pourrai l'envoyer ensuite porter une lettre à Bridon. Je tâcherai de lui faire une ponction épatante. Je tenterai de mettre une idée au point quand j'aurai mangé et bu du vin. »

Rabe alluma une cigarette et, couché sur le dos, les mains sous la nuque, il lança des ronds de fumée vers le plafond. Il se mit à imaginer, comme les enfants, des situations extraordinaires où il se développait magnifiquement, tantôt en officier de marine, tantôt en coureur cycliste fameux, tantôt en homme invisible. Cette hypothèse charmante l'accapara jusqu'au moment où il s'endormit en rêvant que, grâce à son invisibilité, il dévalisait une banque et commettait d'autres méfaits d'un caractère plus intime. Quand il se réveilla, il constata que Nelly finissait de s'habiller.

— Nelly? fit-il.

— Quoi? fit la jeune fille.

— Prends quarante sous dans la poche de mon pantalon sur la chaise et puis va chercher de quoi manger pour nous deux. Tu prendras un litre de vin chez l'épicier, rue Ravignan. Tu achèteras en même temps une pochette de papier à lettres de dix centimes.

— Bien, fit Nelly.

Quand il fut seul Rabe se leva d'un bond, courut se débarbouiller à l'eau glacée dans la minuscule cuvette. Il grelottait et claquait des dents. Sa toilette rapidement terminée et l'esprit lucide, il revint se glisser dans les draps tièdes.

Une immense joie physique et morale l'envahissait. Il pensa à Bridon et, comme il était enthousiasmé par le bien-être, il résolut énergiquement de lui emprunter cinquante francs, Nelly irait porter la lettre.

Il fallait trouver un prétexte. Il fallait frapper dur dans l'imagination de Bridon. Rabe le décortiqua psychologiquement, chercha le défaut par où sa demande d'argent devait pénétrer à travers l'armure qui protégeait Bridon, sous-chef de rayon dans un grand magasin de la Rive gauche. Le point faible de la future victime de Rabe se précisa bientôt avec netteté : c'était l'amour de la famille.

Rabe, ayant enfin trouvé, s'amollit de nouveau dans son espoir. La journée était belle. Un but luisait

117

à sa fin comme une étoile dans la nuit. Si la chance se mettait de la partie, au crépuscule il pourrait être riche. Il se promettait d'inviter Nelly à dîner, d'acheter quelques francs de bois et d'allumer un feu dans la cheminée décrépite. Il resterait une grande partie de la nuit devant le feu, à fumer sa pipe et à goûter le divin plaisir de posséder un feu à son goût. Nelly pourrait même rester à se chauffer. Maintenant il ne voyait aucun inconvénient à ce que la jeune fille profitât de l'aubaine.

Nelly rentra en coup de vent et posa ses provisions sur la table.

— On gèle! fit-elle.

Elle glissa ses mains sous la couverture.

— Sais-tu ce qui est arrivé, Rabe?

— Non.

— Michel Kraus s'est pendu.

— Non?

— Il y a plein de monde sur la place. Et puis, ce n'est pas tout... Un gosse a trouvé, paraît-il, dans le terrain au-dessus du square Saint-Pierre, une tête d'homme enveloppée dans du papier gris. Mange, les frites vont être froides, et moi j'ai les pieds comme des glaçons.

— Dans du papier gris, répéta Rabe...

Il demeura un moment songeur tout en dévorant sa saucisse encore tiède.

— Veux-tu que je te dise une chose, Nelly... Eh

bien! c'est le boucher qui était avec nous cette nuit qui a fait le coup. Tu te rappelles ce qu'il disait en parlant du pàquet qu'il avait perdu pendant que les petits mecs le poursuivaient...? Hein? Ce paquet c'était la tête qu'on a retrouvée ce matin...

— Quand même, fit Nelly la bouche pleine, c'est pour le petit Allemand que j'ai de la peine. Après tout il n'est pas mal où il est. Ce matin j'ai rêvé que nous nous promenions tous les deux, c'est-à-dire toi et moi, à la campagne. Il n'y avait que des champs, des champs et pas d'arbres. Au milieu d'un champ ensemencé, nous aperçûmes des anges en rond qui picoraient du blé comme des pigeons. C'était ce qu'on appelle un présage.

— J'espère que nous ne serons pas embêtés à cause de l'affaire du boucher. Nous ne le connaissons pas. C'est un boucher surgi de l'ombre qui appartient corps et âme à cette nuit où deux des nôtres ont trouvé une solution. L'Allemand est déjà mort, le boucher va mourir, et le déserteur? Le déserteur a sans doute trouvé sa voie. Nous deux, Nelly, nous sommes encore aujourd'hui ce que nous étions hier. Quel soulagement de le constater... Tiens, bois du vin, ma belle, nous avons encore passé à travers.

Nelly sourit, prit le verre, but et fourra de nouveau ses mains sous la couverture.

— Ah! fit-elle — et ses joues s'empourprèrent — il faut, moi aussi, que je cherche une chambre.

— Si tu réussis la petite affaire que je vais te confier, je pourrai te donner quelque chose. Voilà : tu vas aller chez M. Bridon, tu lui remettras une lettre que je vais écrire. Tu attendras la réponse. Si Bridon te parle de moi, tu lui répondras que je viens de perdre ma mère, ce qui est vrai — seulement il y a quinze ans de cela. — Tu lui diras aussi que je cherche l'argent nécessaire au voyage, et que c'est pour cette raison que je n'ai pu aller le voir moi-même...

Rabe écrivit sa lettre, mit l'adresse sur l'enveloppe.

— Réussis, Nelly, et si tu me portes chance, nous dînerons ensemble ce soir.

*

Rabe, après avoir palpé le billet de cinquante francs rapporté par Nelly, éprouva comme un éblouissement. Il espérait réussir, sans que pourtant la réussite lui parût possible. « Une chance sur mille de réussir, pensait-il. La somme est trop forte. J'aurais dû me contenter de vingt francs. »

Sur l'argent, il donna dix francs à Nelly, s'acheta une chemise et un chapeau et, avec le reste, prit un billet de chemin de fer pour Rouen, où il espérait trouver quelque chose, car il connaissait, dans cette ville, une demi-douzaine d'excellents compagnons qui pourraient l'aider.

Nelly, par désœuvrement, l'accompagna jusqu'au train. La jeune fille pensait vaguement : « Kraus est mort, Rabe ne reviendra pas de sitôt. Je n'ai plus personne... »

Elle était trop malheureuse pour s'émouvoir sur son propre compte. La gare, les accessoires de la gare, l'odeur du charbon agissaient simplement sur sa sentimentalité.

Cependant, quand le coup de sifflet traditionnel ferma les portières, elle sentit qu'une période de sa vie était accomplie et que toutes les choses allaient prendre pour elle une autre coloration.

Elle loua un cabinet meublé dans un petit hôtel de la rue Caulaincourt, descendit à la tombée de la nuit, huma l'air elle aussi pour prendre le vent, et se trouva mêlée à un rassemblement d'individus des deux sexes qui commentaient avec véhémence un événement de qualité.

Nelly apprit d'une grasse fille parée d'un cache-poussière beige, que la police venait d'arrêter un boucher nommé Isabel, accusé d'avoir tué et dépecé un de ses amis pour le voler. Cet ami, nommé Norbert, réparait des timbres-poste rares et en maquillait également. Il gagnait bien sa vie. Le vol avait été le mobile du crime.

Elle aperçut dans un groupe de policiers un monsieur raide et vexé. C'était le boucher inconnu de la fameuse nuit dans la neige. Elle le regarda, la bouche ouverte, hébétée.

Les policiers firent monter l'homme dans un taxi. Des coups de sifflet fusèrent en bouquets autour de la voiture. Une figuration timide et mal réglée se fit entendre : « A mort! à mort! » criait-on sans vigueur. Une petite voix de fillette cria, après les autres : « A mort! »

Nelly descendit la rue dans la direction du pont Caulaincourt. En chemin, quand elle passait près d'un homme, elle chantonnait et clignait de l'œil d'un air canaille. Tout comme dans les livres. Cette nuit-là, Nelly travailla courageusement, ainsi qu'une vraie femme du métier. Elle forçait l'attention des hommes, parce qu'un élément supérieur à toutes les hypothèses la dominait et la dirigeait vers son avenir par une route aussi nette et aussi autoritaire qu'une voie ferrée.

Elle était lancée sur les pistes du « tapin » comme un train sur ses rails. Elle levait un homme, le contentait et lui extrayait son argent avec une puissance magnifique de machine à faire l'amour en série.

Au petit jour, quand elle remonta la rue d'Amsterdam avec une copine pour boire un café crème place Clichy, elle était riche. Elle rentra à son hôtel, se lava soigneusement et s'endormit telle une couleuvre qui change de peau, dans un effondrement subit de toutes ses facultés.

L'ancienne jeune fille, nommée Nelly, venait de mourir, elle aussi, des suites de cette nuit qui lui rappellerait toujours sa propre mort. La nouvelle Nelly se réveilla à midi, la figure comme changée. Elle se regarda dans la glace et surprit la décision sur son nouveau visage.

Elle appela le garçon, Emile, par la porte entrouverte. Il accourut à pas feutrés.

— Dis donc, faudra dire au patron qu'il me balance une autre taule. Je prendrai la chambre du premier, à quarante francs par mois. Et voilà pour toi. — Elle lui tendit une pièce de cinq francs. — Et puis, écoute bien, tu me feras monter à déjeuner dans ma chambre. Tu as compris? Alors tu peux les mettre.

Quand elle fut seule, elle regarda ses nippes. La confiance lui durcissait les yeux. Elle pensa : « Rabe a dû mourir aussi cette nuit. C'est crevant, nous étions cinq en sortant du " Lapin ", et dans un mois il ne restera plus rien de ce que nous fûmes. »

Elle se trompait. Mais elle ne pouvait savoir que le soldat tournait encore en rond, comme un cheval de cirque. D'ailleurs, elle ne se souvenait plus très bien de la tête de ce soldat qui, pour elle, ressemblait à tous les soldats. Nelly ne savait pas distinguer les uniformes et tous les soldats qu'elle avait connus injuriaient leur destin avec les mêmes mots.

« Un soldat et rien, pensait Nelly, c'est à peu près pareil. »

Un mois après l'arrestation de M. Isabel, ou plus exactement un mois après la prise de possession de la belle chambre du premier, le « deux », Nelly possédait un tailleur convenable, du linge et des chaussures. Elle mangeait au restaurant et la vie tournait autour d'elle comme une roue bien huilée.

Elle vivait modestement, en petite bourgeoise de la prostitution, car la grande misère, dont les souvenirs appartenaient à la morte, garantissait la vivante contre les excès de la fantaisie.

A cette époque l'Europe dormait entre ses pattes comme une bête de proie hypocrite, et l'humanité pensait à tort et à travers avec la permission tacite de la bête endormie.

Les futures victimes, préparées par les journaux, s'engraissaient dans l'inconscience du cataclysme. Nelly suivait tout doucement le courant paisible du fleuve où les uns et les autres se heurtaient, mais sans se faire de mal.

L'assassinat de Norbert vint aux assises. La jeune femme publique lut avec avidité le récit quotidien des séances de la Cour de Justice.

M. Isabel, serré à la gorge, harcelé, insulté, bafoué, et finalement confondu par des procédés arbitraires, mais d'une psychologie enfantine, finit par avouer.

Il écoutait d'un air agacé les hurlements magnifiques de l'avocat général.

A la fin, il prit la parole, et faisant signe à son avocat de se taire momentanément, il s'écria : « Hé ! oui, j'ai tué Norbert, bien entendu je l'ai tué, cela ne fait plus de doute, même pour moi, car j'ai cru longtemps que j'avais rêvé. Cependant, Messieurs les jurés, Norbert était un imbécile, ignorant comme une carpe, incapable de s'émouvoir devant un geste généreux, une belle pensée, un air de chanson, une rose peinte. Considérez l'extrême indigence morale de cet homme dont l'intérêt ne pouvait être que culinaire. En effet, Norbert n'était qu'un mouton, un mouton impossible à manger, mais dont la peau, néanmoins, pouvait avoir une valeur. A cette époque, j'avais besoin de dix mille francs. Alors qu'ai-je fait ? Mon Dieu, j'ai tué Norbert, comme on tue un mouton, pour se nourrir. Je tenais à vous donner mon point de vue, qui est complètement différent du vôtre. Pour cette raison, nous ne pourrons jamais nous entendre. Quant à Norbert, je ne me lasserai jamais de vous le répéter, si vous l'aviez connu de son vivant, vous n'hésiteriez pas à être de mon avis en ce moment. »

Isabel fut condamné à mort, son recours en grâce fut rejeté. Il mourut sur la guillotine de mort violente, en avance de quelques mois sur une grande partie de ses contemporains.

Quand Nelly eut connaissance du verdict par les journaux du soir, elle ne put s'empêcher de battre des mains et de s'écrier : « C'est bien fait! » Mais tout de suite elle pensa à Rabe. « Et celui-là, qu'est-il devenu? » se demanda Nelly. Elle essaya de prolonger l'allure inquiète du jeune homme parallèlement à sa propre existence. Mais comme elle manquait de documents, elle ne put y parvenir. Elle revit bien la gare Saint-Lazare sonore, pleine de tendresses, de cris et d'acier vivant. Elle vit encore les feux du train et Rabe qui s'enfonçait irrésistiblement dans la nuit du côté de l'Ouest.

Alors Nelly s'assit sur son oreiller, les genoux au menton, et tout en comptant des bouts de ruban dans une vieille boîte en carton, elle répétait, comme une enfant bien sage sa leçon d'histoire, la chronique quotidienne de son propre passé.

A cette date, c'est-à-dire deux ou trois ans avant la déclaration de guerre, Nelly était âgée de dix-neuf ans.

XI

Nelly devint comme une impératrice de la rue.
Elle en connaissait les arcanes les plus secrets et savait
les utiliser pour sa propre réputation.

Un pittoresque, aujourd'hui aboli, donnait à la
grande confrérie de la prostitution publique ce caractère orgueilleux, que l'on ne retrouve plus que dans
les images de la mémoire.

Les professionnels, hommes et femmes, de la prostitution, ne craignaient point d'afficher leur état.
Etre un jeune marlou constituait un idéal suffisant
pour que ceux qui en poursuivaient la réalisation
n'hésitassent point à se parer d'un uniforme spécial
qui les distinguait de la foule.

Les boulevards extérieurs et les petites rues mal
éclairées qui permettaient d'y accéder s'émancipaient
dès la tombée de la nuit et s'emparaient du décor
abandonné par les hommes et les femmes du jour.

C'était comme une troupe nouvelle sur une scène
dont les décors, pour n'avoir point été changés par

économie, n'en apparaissaient pas moins comme parfaitement renouvelés.

Telle maison, d'une honnête apparence, tant que la clarté du jour la révélait, devenait, dans les lumières artificielles, une sorte de temple de la misère sentimentale et de l'incontinence de l'immoralité.

Dans bien des cas, un éclairage mal assuré conférait à l'ombre humaine une suprématie sur le corps humain qui l'avait créée.

Les ombres maîtresses de la rue jouaient leur rôle fantastique dans la comédie tragique de minuit.

Une ombre d'ivrogne était happée par une ombre embusquée au coin d'une rue. Sur un mur bleu de lune, deux ou trois ombres d'hommes échangeaient le feu de leurs cigarettes.

Une police d'ombres, popularisée par l'image, barrait la chaussée, prête à bondir au coup de sifflet qui annonçait la rafle.

Cette rafle elle-même n'était qu'un tourbillon d'ombres qui traversait le boulevard comme un tas de feuilles mortes dispersées par un coup de vent.

La rafle n'était qu'une des prérogatives du vent aigu qui faisait tourner les filles admirablement qualifiées de soumises. Elles fuyaient en troupeau lamentable ou bondissaient follement dans la lumière souffreteuse des lampes municipales. On entendait dans les brumes de l'aube le chœur angélique de

128

Saint-Lazare et, dans les petits bistrots terrorisés, un voyageur pâle et défait qui venait de la place de la Roquette, jeter sur les tables de marbre ces mots comme un bouquet de malheurs : « C'est fait : on a guillotiné Liabeuf. »

Dans ce royaume d'ombres étirées ou charnues, Nelly s'avançait ainsi qu'une reine. Elle était la femme d'un grand affranchi, d'une laideur terrifiante, d'une force sans contrôle et dont les idées paraissaient d'une simplicité abominable et incompréhensible.

Nelly était devenue une blonde assez délurée avec des yeux rieurs qui pouvaient chavirer toute la rue.

Femme d'affranchi, elle se coiffait et se vêtait en pierreuse, depuis ses cheveux, blond pâle, coiffés en casque, jusqu'à ses hautes bottines de conquérante.

Les copines de la rue l'entouraient d'une cour servile. C'était un honneur pour toutes ces misérables que de boire l'apéritif à côté d'elle devant le comptoir d'étain ou à la terrasse d'un petit bar d'où l'on apercevait la rue Lepic encombrée par les petites voitures des marchands des quatre-saisons.

Elle triomphait, déjà partout, comme un futur fox-trot canaille. Quand elle descendait la rue en marchant droit devant elle, sans concessions, sur le trottoir, elle entraînait une partie de la rue, de même qu'un morceau d'affiche décollé et déchiré le long d'un mur.

Elle tanguait au langage muet des coups de sifflet comme une frégate de fortune. On disait déjà d'elle, bien qu'elle n'eût que dix-neuf ans : la grande Nelly.

Cette période de haut triomphe succéda presque sans transition à la période bourgeoise de la rue Caulaincourt. Il avait suffi d'un homme pour la placer sur une autre voie, où, bien alimentée, elle fonctionnait ainsi qu'une machine puissante, parfaitement mise au point.

L'homme que Nelly avait choisi et subi, après avoir aimé un peu Rabe, peut-être, n'appartenait pas à la race humaine. Il se déplaçait également dans la vie avec l'intransigeance d'une machine, mais d'une machine inutilisable en dehors de l'atmosphère créée par les filles tapageuses et dociles de la rue.

Il se tenait à l'extrémité de la rue, telle une borne-fontaine municipale pourvue d'un priape qu'il affublait de noms enfantins : le petit, l'enfant, le gamin, etc. En dehors de cette tendresse indulgente pour ses ornements génitaux, il n'éprouvait aucun besoin de comparer les choses entre elles et de les surnommer. L'amant de Nelly s'appelait Ludovic. Elle-même savait très peu de chose sur sa vie. Il était né rue du Poteau, avait servi dans l'artillerie lourde à Toul. Sa force suffisait à le faire respecter et, pour cette raison, il n'avait jamais d'histoires, c'est-à-dire très peu d'occasions d'entrer en relations avec la police des mœurs ou la police judiciaire.

Ludovic était le maître suprême des petits-maîtres du quartier. Penser à la manière de Ludovic témoignait d'une aristocratie naturelle. La rue venait chercher dans sa présence ses disciplines décoratives, et Nelly distribuait la force secrète de cet homme comme un haut-parleur disperse les sons et les idées contenus dans un poste récepteur parfaitement étudié.

Il faut bien se persuader de ce principe essentiel que Nelly, professionnelle du trottoir, est une force de la nature, et que c'est elle, en somme, qui dira le dernier mot de cette histoire.

Une femme disposée à s'utiliser, corps et âme, sans restriction, sans morale conventionnelle et sans mysticisme, est une force de la nature comparable à l'électricité dont on asservit les caprices sans rien pénétrer de son mystère originel.

La présence de Nelly dans une rue conférait à cette rue une personnalité qui était celle de Nelly. Elle enchaînait à son jeu, par sa seule apparition, les maisons à six étages, les flics serrés l'un contre l'autre dans le poste de police, comme des poussins, les voitures silencieuses, les hommes du plaisir nocturne, les imaginatifs de province et les autres femmes pâles agglomérées, à la façon des globules à l'entrée d'une artère durcie, par deux rangées d'hôtels à chambres de passe.

Son génie n'attendait, pour rayonner effectivement, que la présence d'une force mâle qui devait lui enseigner la connaissance parfaite des ressources dont elle pouvait disposer.

Elle entoura sa bête protectrice d'un réseau de fils de cuivre ténus, en fit une bobine délicate qui émettait des sons qu'elle seule pouvait entendre dans la nuit du monde pleine de cris désordonnés et de forces perdues.

Ludovic la saturait de force comme un redresseur de courant recharge une batterie d'accumulateurs. La jeune femme étudiait le fonctionnement de cet appareil destiné à chauffer les lampes de sa volonté et de son imagination. Quand elle fut convaincue qu'un appareil de cette puissance pouvait se trouver partout, dans le commerce, elle résolut de se libérer définitivement.

Elle pensa à Rabe, sans rien obtenir de précis, sur le lien fragile, mais presque indestructible, qui semblait la relier à cet homme. Elle pensait à Rabe, quelquefois, comme on pense à un paysage, à une chanson ou à une ville. Puis elle élimina cette pensée en se levant afin d'allumer une cigarette.

Un jour, Nelly décida de se débarrasser de Ludovic. Elle le fit tuer par un Corse dans une lutte au couteau sur le traditionnel gazon des fortifications, dans un duel comme on le pratiquait alors, et sur le pittoresque duquel tout a été à peu près dit.

XII

Jean Rabe pénétra dans Toul un dimanche, convoqué par l'autorité militaire, afin de faire une période de vingt-huit jours, dans une vieille caserne aménagée à proximité des remparts. Cette convocation sans aucun intérêt l'avait surpris dans un petit hôtel de la rue des Charrettes à Rouen, où il vivotait une existence peu différente de celle qui, chaque jour, à Paris, l'avilissait un peu plus.

Le jeune homme avait perdu toute confiance dans sa destinée. Il pensait quelquefois à Nelly, parce que cette jeune femme lui donnait vaguement l'impression de le respecter prudemment.

Rabe n'était convoqué que pour midi. Il traînait donc péniblement ses pieds dans la neige qui recouvrait la promenade devant les fortifications. Il n'avait pas un sou en poche et appréhendait, le rouge de la honte au front, l'instant où il se retrouverait avec ses anciens camarades de l'active, les plus intelligents, mais les plus vaniteux. Tous ceux-là devaient être pourvus d'argent. Ils iraient manger au restaurant, loueraient une chambre en ville.

« Bon Dieu, pensa Rabe, il n'y a donc pas moyen d'être tranquille dans sa purée! »

A midi, il se rendit à la caserne. Le « doublard », après l'avoir examiné d'un bref coup d'œil, l'envoya à sa compagnie.

« Si je pouvais être habillé tout de suite, songeait Rabe, cela me permettrait de garder un certain anonymat. Mais comme je n'ai pas un sou pour payer à boire au garde-mites, je n'ai d'autre ressource que d'attendre. »

Il s'allongea sur son lit et fuma.

Les réservistes arrivèrent en groupe par le train suivant : des ouvriers, des employés et quelques jeunes paysans à larges sourires.

D'autres jeunes hommes se joignirent à ceux-là. Rabe en reconnut un qui s'appelait Werthel, fils de bijoutiers opulents. Lui aussi reconnut Rabe.

— Tiens, ce vieux Rabe, tu ne me remets pas?

— Si, si, je te reconnais... Alors ça va?

— Oui, et toi? — Werthel estima le misérable complet de son camarade d'armes. — Tu dessines toujours?

— Moi, non, fit Rabe, qui ne se souvenait plus que, durant son premier séjour à la caserne, il s'était présenté comme dessinateur... Je ne dessine plus, glapit-il soudain d'une voix pointue, j'ai abandonné

la peinture pour le journalisme. J'ai voyagé beaucoup et je cherche à tirer profit de mes déplacements.

L'autre l'entendait à peine, car il pensait que la
situation sociale de Rabe ne valait pas qu'on l'écoutât
plus qu'il n'était nécessaire à une présentation de
caserne.

Il s'éloigna avec un autre type élégant.

— Va, salaud! grommela Jean Rabe en se recou-
chant sur le dos, les pieds posés sur une haute pile
de couvertures brunes.

Il vint encore une sorte de retoucheur en photographie, vêtu d'un complet en drap noir, genre officier d'Afrique, et coiffé d'un large feutre à haute
forme. Une cravate lavallière s'alliait somptueuse-
ment à sa barbiche de mousquetaire et au sacrifice
de ses cheveux fraîchement tondus.

— Tiens, voici Rabe, fit-il d'un air goguenard
en suçant sa pipe en terre. Qu'est-ce que tu fais
maintenant?

— Je suis directeur d'une grande maison d'auto-
mobiles, répondit celui-ci, prodigieusement agacé. Je
suis un peu fatigué car j'ai fait la route sur un
nouveau châssis pas encore carrossé. J'ai renvoyé
mon chauffeur avec la bagnole. Et toi?... toujours
dans la mouise?

Le retoucheur vêtu de drap satin noir fit un sou-
bresaut, puis il s'éloigna à reculons.

— Où est mon lit, mon lit, les gars, gueulait-il

d'une voix faussement autoritaire. Alors maintenant c'est les bleus qui font la loi aux anciens!

— Quel veau! gémit Rabe en fermant les yeux. Je ferais volontiers le sacrifice d'une jambe pour qu'une guerre me débarrasse de la présence de cet imbécile.

Le lendemain Rabe fut habillé. Il retrouva sa liberté de penser dès que l'uniforme l'eut privé de ses vêtements civils qui recélaient trop son extrême misère. Dès lors il ne fut plus qu'un soldat, mais un soldat sans le sou. Dès cinq heures il erra à travers les rues étroites du vieux Toul et fit la connaissance d'une putain étonnamment jeune, aux cheveux couleur de miel, une étrange fille tatouée des seins aux pieds.

Assis devant la porte de la chambre qui donnait sur la rue, au rez-de-chaussée, Rabe causait avec elle, en fumant, par courtes bouffées, ainsi qu'un crapaud. Il écoutait vaguement la fille raconter des histoires parfaitement simples et compliquées. Il hochait la tête et vivait une heure avec tranquillité comme un moteur dans un bain d'huile.

Il ne lisait pas les journaux et se laissait aller sans résistance au courant qui l'emportait avec d'autres noyés, ses frères. Son corps tournait sur lui-même, se heurtait à des obstacles, mais finissait toujours par retrouver le fil du courant. Et il descendait invinciblement vers quelque chose de surprenant qu'il n'appréhendait point. Car il en était arrivé à juger la mort avec une sérénité de vieux chien.

— Si on te donnait mille francs, lui demandait la fille tatouée, qu'est-ce que tu ferais?

— Tout, répondait Rabe.

— Pourquoi viens-tu me voir, demandait-elle encore, puisque je ne te refile pas d'argent?

— Parce que tu ressembles à l'Afrique et au bagne.

— Biribi, répondit la fille. C'est épatant ce que tu dis. Un clairon que tu n'as pas connu et à qui je donnais tous mes sous m'appelait Biribi.

— Adieu donc, Biribi, fit Rabe en se levant, je m'en vais.

*

A minuit, comme tout dormait dans les casernes, le clairon de garde sonna « la générale » et puis le « tout le monde en bas », et puis « le sergent de semaine », etc., etc.

Des voix professionnelles hurlèrent dans les couloirs mal éclairés le classique « debout là-dedans! ». Un sergent lança un ordre affolé : « Au magasin, on touche la collection de guerre! »

Rabe, mal réveillé, se leva machinalement, enfila ses treillis et se rendit avec les autres au magasin de sa compagnie. Il faisait froid et le vent passait en rafales au-dessus de la ville. On entendit dégringoler des tuiles et un tuyau de cheminée, ce qui fit rire quelques hommes.

Rabe, bâillant à se décrocher les mâchoires, tendit les bras au magasinier qui lui remit des vêtements neufs, des cuirs neufs, des brodequins neufs, un sac neuf et un képi neuf, haut comme une tour.

— Surtout ne cassez pas vos képis, hein? dit l'adjudant, ou alors je vous fais passer au falot.

Les hommes, chargés comme des baudets, remontaient dans leurs chambres afin de s'habiller. Ils grognaient et juraient après les cuirs neufs des courroies de sac qui ne voulaient pas se rouler. Un caporal, entouré de bouts de chandelles, partageait les vivres de réserve empilés sur son lit.

Rabe s'apprêta mécaniquement comme ses camarades, mais sans aide. On ne l'aimait pas plus qu'il n'aimait les autres.

Maintenant les clairons d'infanterie et les trompettes d'artillerie se répondaient de tous les quartiers. Au loin, vers Ecrouves, on sonna le refrain d'un régiment. Puis, comme en sourdine, une musique joua la *Marseillaise*.

Rabe prêta l'oreille afin de mieux écouter le roulement caractéristique des voiturettes de la compagnie de mitrailleuses.

Un sergent traversa la chambre en coup de vent,

sac au dos et jugulaire au menton : « Allez, pressez, pressez! Tout le monde en bas! »

La compagnie s'aligna dans la cour. Les ombres des hommes s'allongeaient sur la neige et la lueur d'un falot dessinait sur le sol une étoile gigantesque.

Le capitaine, en capote noire, s'avança vers ses hommes. Il était maigre et méchant, mais portait sur son visage le signe tragique d'une élimination rapide. En quelques mots il réduisit ses sergents à l'état de larves.

La voiture de compagnie cahota péniblement et s'arrêta devant la double file immobile.

— V'là les cartouches, mon capitaine.

La distribution se fit dans un grand silence.

— C'est un exercice de mobilisation, chuchota un homme à côté de Rabe.

— Vous, dit le capitaine en s'adressant à ce dernier, qu'avez-vous encore à ronchonner? Il faudra changer votre façon d'agir, comprenez-vous? Je me chargerai de vous briser, entendez-vous?

— Mais, mon capitaine, je n'ai rien dit.

— Vous mentez.

Rabe se tut. Le capitaine commanda en avant par quatre, et la compagnie, qui était la première prête, franchit au pas cadencé la porte de la ville, et vint prendre position dans un champ à gauche, en pleine campagne.

Alors Rabe fit sauter le papier gris qui enveloppait

141

ses cartouches et, tout doucement, approvisionna son lebel.

La compagnie s'arrêta au bord de la route et reposa les armes au commandement de : Halte!

Rabe poursuivit son chemin, paisiblement, l'arme à la bretelle.

— Hé, là-bas, l'homme! criait le capitaine.

Le réserviste entendit derrière soi le galop mou d'un cheval dans la neige. Il se retourna, épaula son fusil et appuya sur la gâchette. La crosse lui heurta la mâchoire. « J'épaule comme un pied », pensa Rabe. Il ajusta de nouveau le capitaine et tira sans le toucher. L'officier avait fait exécuter une volte à son cheval. Il revint à toute bride vers la compagnie qui se débandait.

— Arrêtez-le, commanda le capitaine.

Deux sergents s'avancèrent et Rabe fit feu dans leur direction. L'adjudant prit alors le fusil d'un homme et tira à son tour, car un sous-officier venait de lâcher son fusil en se tenant le bras. Il criait : « Je suis touché! Je suis touché! »

Une balle chanta aux oreilles de Rabe, puis une autre. Soudain il sentit comme un coup de bâton à son flanc, puis un autre à l'avant-bras. Il lâcha son fusil. Son sang coulait le long de son poignet sur sa main droite.

Jean Rabe tenta encore de faire quelques pas et il tomba à genoux dans la neige. Alors il s'allongea sur le côté. Ses oreilles bourdonnaient. Il se rappela d'un seul coup qu'il avait laissé à Rouen son petit chien en garde chez une voisine. Un désespoir atroce le terrassa, l'emplit, le tourmenta avec une violence irrésistible. Il bégaya : « Mon petit chien, mon pauvre petit chien blanc. » L'adjudant, à ce moment, avançait vers lui avec prudence. Rabe l'aperçut gigantesque dans le brouillard de la mort.

— Il est blessé ? interrogea le capitaine.

— Mon capitaine, je crois bien qu'il est mort.

Le capitaine, qui était descendu de cheval, se pencha sur le corps extraordinairement diminué.

— Bon sang de bon sang ! Quelle affaire ! Deux hommes pour le transporter à l'infirmerie... Vous êtes tous témoins. Quelle affaire !

D'autres compagnies arrivaient sur le terrain. Quelques lanternes follement agitées se rapprochaient très vite du groupe noir qui entourait le cadavre de Rabe. Elles semblaient mues par des jambes de gnomes. Elles couraient drôlement de toute la vitesse de leurs petites jambes vers le capitaine qui, à grandes enjambées, s'avança à leur rencontre.

XIII

Les deux jazz-bands du *Miami,* l'un noir et l'autre
blanc, se succèdent sans répit, dans un mouvement
continu et harmonieux de bielles.

A l'extrémité du hall où les couples dansent avec
gravité, un escalier monumental accède à la rue.

Des femmes le descendent majestueusement et
se mêlent au rythme combiné de deux orchestres
dont la mélancolie donne à cette nuit de fête une
signification profonde d'une distinction parfaite.

Au milieu des couples, entre les jeunes gens en
smoking, fragiles et élégants, une grande femme
blonde, en robe rose courte, à paniers, la chevelure
relevée en casque, à l'ancienne mode des pierreuses,
s'associe avec une grâce hautaine et maligne au
fox-trot : « Chérie », symbole inoubliable de la fin
de l'année 1919.

Cette femme est le moyeu de la roue dorée
qui tourne en emportant dans l'enroulement sans
fin des deux orchestres plusieurs centaines de per-

sonnes soumises à l'atmosphère de l'époque.

C'est Nelly, et c'est la seule femme dans cette salle dont la chevelure ne soit pas coupée sur la nuque. Elle règne dans le dancing telle la divinité de la rue, mais de la rue enrichie par les prodigalités les plus folles de tous les échappés du massacre.

L'odeur secrète du dancing, comme celle de l'année 1919, est encore l'odeur doucereuse et fade du sang. Nelly est belle, d'une beauté nettement parisienne. C'est vraiment une fille de la rue élevée au grand pouvoir. La bouche est une bouche pâle de la rue, et les yeux, durs et gris, ont pris leur éclat définitif dans un autre décor que celui-là.

Un bruit brûlant d'usine à fabriquer la joie domine la salle. Les deux jazz-bands ronflent en sourdine ainsi que des turbines qui mettent en marche Nelly et son danseur et les autres couples chauffés par la même pile.

Le dancing se meut et se déplace comme la vie bacillaire dans une blessure rouge. Une chanson merveilleusement fluide, étroitement adaptée au corps des danseurs et des spectateurs, sature l'atmosphère de la salle d'une électricité tout à fait intelligente. Chacun remonte ainsi sa vie comme un mécanisme et va se recharger à cette force que les deux jazz-bands conduisent à travers tout, de même qu'un courant alternatif.

Nelly est comme une rose pompon enroulée

autour d'un pylône d'acier. C'est la colombe millénaire dans le plus récent paysage intellectuel créé par les hommes. Elle chante à mi-voix tout en dansant une chanson anglaise apprise par elle avec une facilité d'enfant.

Le jazz s'arrête net. On dirait une rupture de courant. Et Nelly revient vers sa table en examinant ses ongles avec soin.

Elle tire de son sac à main une cigarette et l'allume, le menton avancé vers le briquet d'or. Elle ferme à moitié les yeux, les coudes sur la table, les mains nouées à la hauteur de ses yeux.

Autour d'elle des jeunes gens rusés comme des vieillards se morfondent dans un ennui d'apparat.

L'un d'eux ébauche un geste vague, facile à prolonger, jusqu'à l'infini. Il dit d'une voix mourante : « L'avenir ? Ah ! je vois ! c'est plein de lumières ! » Nelly l'observe de ses jolis yeux gris qui décomposent tout. Si elle le regarde longtemps, l'homme fondra de même qu'un morceau de sucre dans l'eau chaude et tout le décor fondra avec l'homme, le décor, les deux orchestres, les tentures rouges, le plancher jaune d'or, les murs blancs et les danseurs noués comme des vipères.

Le ciel glacé et cruel de la rue, au petit jour, le ciel neuf de la rue est dans les yeux de Nelly, et c'est le vent de la rue qui peut balayer cette salle trop tiède, si Nelly insiste un peu méchamment.

•

Nelly écrase soigneusement la cendre de sa cigarette. Devant elle, une bouteille de champagne dans. le seau à glace pointe sa gueule d'or vers les lampes, de même qu'un obusier autrichien.

« Voici encore une nuit, pense Nelly, à ajouter à la somme de mes nuits. Mais ce soir tout est neuf autour de moi : ces hommes sont neufs, ces femmes sont nées d'un seul coup après l'orage, la musique est neuve et neuf est tout ce qui me fait vivre. »

Elle tourne et retourne sa main afin d'admirer l'unique bague qui la décore, et Nelly pense encore : « Serais-je si puissante? »

Dans sa mémoire, au verso de ses yeux gris, des images se déroulent sur l'écran blanc de la neige.

Voici le soldat sans importance, le boucher criminel et le jeune Allemand qui n'avait pas assez de patience, ou qui ne pouvait plus résister à ses dons. Voici Rabe mal enveloppé dans son mauvais pardessus couleur chaudron.

« Ils sont tous morts pour ma santé physique et morale », songe Nelly, et elle dit à voix haute : « Naturellement! »

— A propos de quoi, dites-vous « naturellement », lui demande son voisin, l'homme qui « voyait » l'avenir.

148

— Vous êtes un peu piqué, répond Nelly, qui ne s'est pas aperçue qu'elle a rêvé tout haut.

L'orchestre nègre ordonne le déroulement de ce film. La fille en range elle-même les images comme des cartes sur une table. Ses trois compagnons de jadis sont dans le jeu et Rabe, tout seul, aboutit au diamant qu'elle porte, à l'annulaire, et au collier de perles qui s'enroule à son cou.

La rue grise où chantait l'aigre bise de 1910 pénètre encore dans la salle, grâce aux yeux de Nelly. La jeune femme se lève pour se rendre au vestiaire. Elle se penche vers la banquette et sourit : « Allons, Ti Bob, on s'en va! »

Un vieux petit fox-terrier pointe son museau grisonnant, se dresse sur ses pattes de derrière et s'étire contre sa maîtresse. C'est le petit chien de Jean Rabe que Nelly a recueilli après des démarches exaspérantes et des difficultés sans nom.

Mars 1927.

DU MÊME AUTEUR

LA MAISON DU RETOUR ÉCŒURANT, *roman*.

LE RIRE JAUNE *suivi de* LA BÊTE CONQUÉRANTE, *roman*.

LE CHANT DE L'ÉQUIPAGE, *roman*. (Folio n° 1083)

LA CLIQUE DU CAFÉ BREBIS, *roman, suivi de* PETIT MANUEL DU PARFAIT AVENTURIER, *essai*.

LE BATAILLONNAIRE, *roman*.

À BORD DE L'ÉTOILE MATUTINE, *roman*. (Folio n° 1483)

LE NÈGRE LÉONARD ET MAÎTRE JEAN MULLIN, *roman*.

LA CAVALIÈRE ELSA, *roman*. (Folio n° 1220)

MALICE, *roman*.

LA VÉNUS INTERNATIONALE *suivi de* DINAH MIAMI, (édition définitive, 1996), *roman*. (Folio n° 1329)

CHRONIQUE DES JOURS DÉSESPÉRÉS, *nouvelles*. (Folio n° 1691)

SOUS LA LUMIÈRE FROIDE, *nouvelles*. (Folio n° 1153)

LE QUAI DES BRUMES, *roman*. (Folio n° 154)

VILLES (édition définitive, 1966), *mémoires*.

LES DÉS PIPÉS OU LES AVENTURES DE MISS FANNY HILL, *roman*. (Folio N° 1770)

LA TRADITION DE MINUIT, *roman*.

LE PRINTEMPS, *essai*.

LA BANDERA, *roman*. (Folio n° 244)

QUARTIER RÉSERVÉ, *roman*. (Folio n° 2584)

LE BAL DU PONT DU NORD, *roman*. (Folio n° 1576)

RUES SECRÈTES, *reportage*.

LE TUEUR N° 2, *roman.*

LE CAMP DOMINEAU, *roman.* (Folio n° 2459)

MASQUES SUR MESURE (édition définitive, 1965), *essai.*

LE TUEUR N° 2 (collection L'Imaginaire), *roman.*

L'ANCRE DE MISÉRICORDE (collection Folio-Junior), *roman.*

BABET DE PICARDIE (collection L'Imaginaire), *roman d'aventures.*

LA CROIX, L'ANCRE ET LA GRENADE, *nouvelles.*

MADEMOISELLE BAMBÚ (Filles, Ports d'Europe et Père Barbançon), *roman.* (Folio n° 1361)

LA LANTERNE SOURDE (édition augmentée, 1982), *essais.*

CHANSONS POUR ACCORDÉON.

POÉSIES DOCUMENTAIRES COMPLÈTES (édition augmentée, 1982).

LE MÉMORIAL DU PETIT JOUR, *souvenirs.*

LA PETITE CLOCHE DE SORBONNE, *essais.*

MÉMOIRES EN CHANSONS.

MANON LA SOURICIÈRE, *contes et nouvelles.*

CAPITAINE ALCINDOR, *contes et nouvelles.*

VISITEURS DE MINUIT, *essai.*

Chez d'autres éditeurs

LE MYSTÈRE DE LA MALLE N° 1 (collection 10/18).

LA SEMAINE SECRÈTE DE VÉNUS (Arléa).

MARGUERITE DE LA NUIT (collection les Cahiers Rouges, Grasset).

BELLEVILLE ET MÉNILMONTANT. Photos de Willys Ronis (Arthaud).

FÊTES FORAINES. Photos de Marcel Bovis (Hoëbeke).

LA SEINE. Photos de René Jacques (Le Castor Astral).

LA DANSE MACABRE (Le Dilettante).

RUES SECRÈTES (Arléa).

NUITS AUX BOUGES. Illustrations de J.-P. Chabrol (Les Éditions de Paris).

TOULOUSE-LAUTREC PEINTRE DE LA LUMIÈRE FROIDE (Complexe).

LES COMPAGNONS DE L'AVENTURE (Le Rocher/J.-P. Bertrand).

LES CAHIERS DE P MAC ORLAN, n°s 1-11, 1990-1996 (Prima Linéa).

COLLECTION FOLIO

Dernières parutions

5782. Gérard de Cortanze *Miroirs*
5783. Philippe Delerm *Monsieur Spitzweg*
5784. F. Scott Fitzgerald *La fêlure* et autres nouvelles
5785. David Foenkinos *Je vais mieux*
5786. Guy Goffette *Géronimo a mal au dos*
5787. Angela Huth *Quand rentrent les marins*
5788. Maylis de Kerangal *Dans les rapides*
5789. Bruno Le Maire *Musique absolue*
5790. Jean-Marie Rouart *Napoléon ou La destinée*
5791. Frédéric Roux *Alias Ali*
5792. Ferdinand von Schirach *Coupables*
5793. Julie Wolkenstein *Adèle et moi*
5794. James Joyce *Un petit nuage* et autres
nouvelles
5795. Blaise Cendrars *L'Amiral*
5796. Collectif *Pieds nus sur la terre sacrée.*
Textes rassemblés
par T. C. McLuhan
5797. Ueda Akinari *La maison dans les roseaux*
5798. Alexandre Pouchkine *Le coup de pistolet et autres
récits de feu Ivan Pétrovitch
Bielkine*
5799. Sade *Contes étranges*
5800. Vénus Khoury-Ghata *La fiancée était à dos d'âne*
5801. Luc Lang *Mother*
5802. Jean-Loup Trassard *L'homme des haies*
5803. Emmanuelle *Si tout n'a pas péri avec
Bayamack-Tam mon innocence*
5804. Pierre Jourde *Paradis noirs*
5805. Jérôme Garcin *Bleus horizons*

5806. Joanne Harris — *Des pêches pour Monsieur le curé*

5807. Joanne Harris — *Chocolat*

5808. Marie-Hélène Lafon — *Les pays*

5809. Philippe Labro — *Le flûtiste invisible*

5810. Collectif — *Vies imaginaires. De Plutarque à Michon*

5811. Akira Mizubayashi — *Mélodie. Chronique d'une passion*

5812. Amos Oz — *Entre amis*

5813. Yasmina Reza — *Heureux les heureux*

5814. Yasmina Reza — *Comment vous racontez la partie*

5815. Meir Shalev — *Ma grand-mère russe et son aspirateur américain*

5816. Italo Svevo — *La conscience de Zeno*

5817. Sophie Van der Linden — *La fabrique du monde*

5818. Mohammed Aissaoui — *Petit éloge des souvenirs*

5819. Ingrid Astier — *Petit éloge de la nuit*

5820. Denis Grozdanovitch — *Petit éloge du temps comme il va*

5821. Akira Mizubayashi — *Petit éloge de l'errance*

5822. Martin Amis — *Lionel Asbo, l'état de l'Angleterre*

5823. Matilde Asensi — *Le pays sous le ciel*

5824. Tahar Ben Jelloun — *Les raisins de la galère*

5825. Italo Calvino — *Si une nuit d'hiver un voyageur*

5827. Italo Calvino — *Collection de sable*

5828. Éric Fottorino — *Mon tour du « Monde »*

5829. Alexandre Postel — *Un homme effacé*

5830. Marie NDiaye — *Ladivine*

5831. Chantal Pelletier — *Cinq femmes chinoises*

5832. J.-B. Pontalis — *Marée basse marée haute*

5833. Jean-Christophe Rufin — *Immortelle randonnée. Compostelle malgré moi*

5834. Joseph Kessel — *En Syrie*

5835. F. Scott Fitzgerald — *Bernice se coiffe à la garçonne*

5836. Baltasar Gracian — *L'Art de vivre avec élégance*

5837. Montesquieu — *Plaisirs et bonheur et autres pensées*

5838. Ihara Saikaku — *Histoire du tonnelier tombé amoureux*

5839. Tang Zhen — *Des moyens de la sagesse*

5840. Montesquieu — *Mes pensées*

5841. Philippe Sollers — *Sade contre l'Être Suprême* précédé de *Sade dans le Temps*

5842. Philippe Sollers — *Portraits de femmes*

5843. Pierre Assouline — *Une question d'orgueil*

5844. François Bégaudeau — *Deux singes ou ma vie politique*

5845. Tonino Benacquista — *Nos gloires secrètes*

5846. Roberto Calasso — *La Folie Baudelaire*

5847. Erri De Luca — *Les poissons ne ferment pas les yeux*

5848. Erri De Luca — *Les saintes du scandale*

5849. François-Henri Désérable — *Tu montreras ma tête au peuple*

5850. Denise Epstein — *Survivre et vivre*

5851. Philippe Forest — *Le chat de Schrödinger*

5852. René Frégni — *Sous la ville rouge*

5853. François Garde — *Pour trois couronnes*

5854. Franz-Olivier Giesbert — *La cuisinière d'Himmler*

5855. Pascal Quignard — *Le lecteur*

5856. Collectif — *C'est la fête ! La littérature en fêtes*

5857. Stendhal — *Mémoires d'un touriste*

5858. Josyane Savigneau — *Point de côté*

5859. Arto Paasilinna — *Pauvres diables*

5860. Jean-Baptiste Del Amo — *Pornographia*

5861. Michel Déon — *À la légère*

5862. F. Scott Fitzgerald — *Beaux et damnés*

5863. Chimamanda Ngozi Adichie — *Autour de ton cou*

5864. Nelly Alard — *Moment d'un couple*

5865. Nathacha Appanah — *Blue Bay Palace*

5866. Julian Barnes — *Quand tout est déjà arrivé*

5867. Arnaud Cathrine — *Je ne retrouve personne*

5868. Nadine Gordimer — *Vivre à présent*

5869. Hélène Grémillon — *La garçonnière*

5870. Philippe Le Guillou — *Le donjon de Lonveigh*

5871. Gilles Leroy — *Nina Simone, roman*

5873. Daniel Pennac — *Ancien malade des hôpitaux de Paris*

5874. Jocelyne Saucier — *Il pleuvait des oiseaux*

5875. Frédéric Verger — *Arden*

5876. Guy de Maupassant — *Au soleil* suivi de *La Vie errante et autres voyages*

5877. Gustave Flaubert — *Un cœur simple*

5878. Nicolas Gogol — *Le Nez*

5879. Edgar Allan Poe — *Le Scarabée d'or*

5880. Honoré de Balzac — *Le Chef-d'œuvre inconnu*

5881. Prosper Mérimée — *Carmen*

5882. Franz Kafka — *La Métamorphose*

5883. Laura Alcoba — *Manèges. Petite histoire argentine*

5884. Tracy Chevalier — *La dernière fugitive*

5885. Christophe Ono-dit-Biot — *Plonger*

5886. Éric Fottorino — *Le marcheur de Fès*

5887. Françoise Giroud — *Histoire d'une femme libre*

5888. Jens Christian Grøndahl — *Les complémentaires*

5889. Yannick Haenel — *Les Renards pâles*

5890. Jean Hatzfeld — *Robert Mitchum ne revient pas*

5891. Étienne Klein — *En cherchant Majorana. Le physicien absolu*

5892. Alix de Saint-André — *Garde tes larmes pour plus tard*

5893. Graham Swift — *J'aimerais tellement que tu sois là*

5894. Agnès Vannouvong — *Après l'amour*

5895. Virginia Woolf — *Essais choisis*

5896. Collectif — *Transports amoureux. Nouvelles ferroviaires*

5897. Alain Damasio — *So phare away et autres nouvelles*

5898. Marc Dugain — *Les vitamines du soleil*

5899. Louis Charles Fougeret de Monbron — *Margot la ravaudeuse*

5900. Henry James — *Le fantôme locataire* précédé d'*Histoire singulière de quelques vieux habits*

5901. François Poullain de La Barre — *De l'égalité des deux sexes*

5902. Junichirô Tanizaki — *Le pied de Fumiko* précédé de *La complainte de la sirène*

5903. Ferdinand von Schirach — *Le hérisson* et autres nouvelles

5904. Oscar Wilde — *Le millionnaire modèle* et autres contes

5905. Stefan Zweig — *Découverte inopinée d'un vrai métier* suivi de *La vieille dette*

5906. Franz Bartelt — *Le fémur de Rimbaud*

5907. Thomas Bernhard — *Goethe se mheurt*

5908. Chico Buarque — *Court-circuit*

5909. Marie Darrieussecq — *Il faut beaucoup aimer les hommes*

5910. Erri De Luca — *Un nuage comme tapis*

5911. Philippe Djian — *Love Song*

5912. Alain Finkielkraut — *L'identité malheureuse*

5913. Tristan Garcia — *Faber. Le destructeur*

5915. Thomas Gunzig — *Manuel de survie à l'usage des incapables*

5916. Henri Pigaillem — *L'Histoire à la casserole. Dictionnaire historique de la gastronomie*

5917. Michel Quint — *L'espoir d'aimer en chemin*

5918. Jean-Christophe Rufin — *Le collier rouge*

5919. Christian Bobin — *L'épuisement*

5920. Collectif — *Waterloo. Acteurs, historiens, écrivains*

5921. Santiago H. Amigorena — *Des jours que je n'ai pas oubliés*

5922. Tahar Ben Jelloun — *L'ablation*

5923. Tahar Ben Jelloun — *La réclusion solitaire*

5924. Raphaël Confiant — *Le Bataillon créole (Guerre de 1914-1918)*

5925. Marc Dugain — *L'emprise*

5926. F. Scott Fitzgerald   *Tendre est la nuit*

5927. Pierre Jourde   *La première pierre*

5928. Jean-Patrick Manchette   *Journal (1966-1974)*

5929. Scholastique Mukasonga   *Ce que murmurent les collines. Nouvelles rwandaises*

5930. Timeri N. Murari   *Le Cricket Club des talibans*

5931. Arto Paasilinna   *Les mille et une gaffes de l'ange gardien Ariel Auvinen*

5932. Ricardo Piglia   *Pour Ida Brown*

5933. Louis-Bernard Robitaille   *Les Parisiens sont pires que vous ne le croyez*

5934. Jean Rolin   *Ormuz*

5935. Chimamanda Ngozi Adichie   *Nous sommes tous des féministes* suivi des *Marieuses*

5936. Victor Hugo   *Claude Gueux*

5937. Richard Bausch   *Paix*

5938. Alan Bennett   *La dame à la camionnette*

5939. Sophie Chauveau   *Noces de Charbon*

5940. Marcel Cohen   *Sur la scène intérieure*

5941. Hans Fallada   *Seul dans Berlin*

5942. Maylis de Kerangal   *Réparer les vivants*

5943. Mathieu Lindon   *Une vie pornographique*

5944. Farley Mowat   *Le bateau qui ne voulait pas flotter*

5945. Denis Podalydès   *Fuir Pénélope*

5946. Philippe Rahmy   *Béton armé*

5947. Danièle Sallenave   *Sibir. Moscou-Vladivostok*

5948. Sylvain Tesson   *S'abandonner à vivre*

5949. Voltaire   *Le Siècle de Louis XIV*

5950. Dôgen   *Instructions au cuisinier zen* suivi de *Propos de cuisiniers*

5951. Épictète   *Du contentement intérieur et autres textes*

5952. Fénelon   *Voyage dans l'île des plaisirs. Fables et histoires édifiantes*

5953. Meng zi — *Aller au bout de son cœur*
          précédé du *Philosophe Gaozi*
5954. Voltaire — *De l'horrible danger de la lecture*
          et autres invitations
          à la tolérance
5955. Cicéron — *« Le bonheur dépend*
          de l'âme seule ».
          Tusculanes, livre V
5956. Lao-tseu — *Tao-tö king*
5957. Marc Aurèle — *Pensées. Livres I-VI*
5958. Montaigne — *Sur l'oisiveté et autres essais*
          en français moderne
5959. Léonard de Vinci — *Prophéties* précédé de
          Philosophie et *Aphorismes*
5960. Alessandro Baricco — *Mr Gwyn*
5961. Jonathan Coe — *Expo 58*
5962. Catherine Cusset — *La blouse roumaine*
5963. Alain Jaubert — *Au bord de la mer violette*
5964. Karl Ove Knausgaard — *La mort d'un père*
5965. Marie-Renée Lavoie — *La petite et le vieux*
5966. Rosa Liksom — *Compartiment n° 6*
5967. Héléna Marienské — *Fantaisie-sarabande*
5968. Astrid Rosenfeld — *Le legs d'Adam*
5969. Sempé — *Un peu de Paris*
5970. Zadie Smith — *Ceux du Nord-Ouest*
5971. Michel Winock — *Flaubert*
5972. Jonathan Coe — *Les enfants de Longsbridge*
5973. Anonyme — *Pourquoi l'eau de mer est salée*
          et autres contes de Corée
5974. Honoré de Balzac — *Voyage de Paris à Java*
5975. Collectif — *Des mots et des lettres*
5976. Joseph Kessel — *Le paradis du Kilimandjaro*
          et autres reportages
5977. Jack London — *Une odyssée du Grand Nord*
5978. Thérèse d'Avila — *Livre de la vie*
5979. Iegor Gran — *L'ambition*

5980. Sarah Quigley   *La symphonie de Leningrad*

5981. Jean-Paul Didierlaurent *Le liseur du 6h27*

5982. Pascale Gautier   *Mercredi*

5983. Valentine Goby   *Sept jours*

5984. Hubert Haddad   *Palestine*

5985. Jean Hatzfeld   *Englebert des collines*

5986. Philipp Meyer   *Un arrière-goût de rouille*

5987. Scholastique Mukasonga *L'Iguifou*

5988. Pef   *Ma guerre de cent ans*

5989. Pierre Péju   *L'état du ciel*

5990. Pierre Raufast   *La fractale des raviolis*

5991. Yasmina Reza   *Dans la luge d'Arthur*
              Schopenhauer

5992. Pef   *Petit éloge de la lecture*

5993. Philippe Sollers   *Médium*

5994. Thierry Bourcy   *Petit éloge du petit déjeuner*

5995. Italo Calvino   *L'oncle aquatique*

5996. Gérard de Nerval   *Le harem*

5997. Georges Simenon   *L'Étoile du Nord*

5998. William Styron   *Marriott le marine*

5999. Anton Tchékhov   *Les groseilliers*

6000. Yasmina Reza   *Adam Haberberg*

6001. P'ou Song-ling   *La femme à la veste verte*

6002. H. G. Wells   *Le cambriolage*
              d'Hammerpond Park

6003. Dumas   *Le Château d'Eppstein*

6004. Maupassant   *Les Prostituées*

6005. Sophocle   *Œdipe roi*

6006. Laura Alcoba   *Le bleu des abeilles*

6007. Pierre Assouline   *Sigmaringen*

6008. Yves Bichet   *L'homme qui marche*

6009. Christian Bobin   *La grande vie*

6010. Olivier Frébourg   *La grande nageuse*

6011. Romain Gary   *Le sens de ma vie* (à paraître)

6012. Perrine Leblanc   *Malabourg*

6013. Ian McEwan   *Opération Sweet Tooth*

6014. Jean d'Ormesson — *Comme un chant d'espérance*
6015. Orhan Pamuk — *Cevdet Bey et ses fils*
6016. Ferdinand von Schirach — *L'affaire Collini*
6017. Israël Joshua Singer — *La famille Karnovski*
6018. Arto Paasilinna — *Hors-la-loi*
6019. Jean-Christophe Rufin — *Les enquêtes de Providence*
6020. Maître Eckart — *L'amour est fort comme la mort et autres textes*
6021. Gandhi — *La voie de la non-violence*
6022. François de La Rochefoucauld — *Maximes*
6023. Collectif — *Pieds nus sur la terre sacrée*
6024. Saâdi — *Le Jardin des Fruits*
6025. Ambroise Paré — *Des monstres et prodiges*
6026. Antoine Bello — *Roman américain*
6027. Italo Calvino — *Marcovaldo* (à paraître)
6028. Erri De Luca — *Le tort du soldat*
6029. Slobodan Despot — *Le miel*
6030. Arthur Dreyfus — *Histoire de ma sexualité*
6031. Claude Gutman — *La loi du retour*
6032. Milan Kundera — *La fête de l'insignifiance*
6033. J.M.G. Le Clezio — *Tempête* (à paraître)
6034. Philippe Labro — *« On a tiré sur le Président »*
6035. Jean-Noël Pancrazi — *Indétectable*
6036. Frédéric Roux — *La classe et les vertus*
6037. Jean-Jacques Schuhl — *Obsessions*
6038. Didier Daeninckx – Tignous — *Corvée de bois*
6039. Reza Aslan — *Le Zélote*
6040. Jane Austen — *Emma*
6041. Diderot — *Articles de l'Encyclopédie*
6042. Collectif — *Joyeux Noël*
6043. Tignous — *Tas de riches*
6044. Tignous — *Tas de pauvres*
6045. Posy Simmonds — *Literary Life*
6046. William Burroughs — *Le festin nu*